国家出版基金项目
NATIONAL PUBLICATION FOUNDATION

《三联经典文库》

第二辑

2012年国家出版基金项目

三联经典文库

192

心理常识漫话

朱智贤　杨云美　著

生活·讀書·新知 三联书店

图书在版编目(CIP)数据

心理常识漫话 / 朱智贤, 杨云美著. -- 北京：生活·读书·新知三联书店, 2014.1
（三联经典文库第二辑）
ISBN 978-7-108-04765-6

Ⅰ.①心… Ⅱ.①朱… ②杨… Ⅲ.①心理学－通俗读物 Ⅳ.①B84-49

中国版本图书馆CIP数据核字(2013)第261783号

责任编辑 戴云波
封扉设计 蔡立国
责任印制 徐 方
出版发行 生活·读書·新知 三联书店
(北京市东城区美术馆东街22号)
邮 编 100010
经 销 新华书店
印 刷 北京鹏润伟业印刷有限公司
版 次 2014年1月北京第1版 2014年1月北京第1次印刷
开 本 787毫米×1092毫米 1/32 印张 6.25
字 数 85千字
定 价 23.00元

《三联经典文库》出版缘起

适逢生活·读书·新知三联书店八十华诞，为弘扬传统，接续文脉，回报读者，服务社会，我们决定策划出版《三联经典文库》。

1932年7月，生活书店在上海创办，此后，读书出版社和新知书店相继成立。本文库第一辑、第二辑所选图书，来自于这三家出版单位及其分支机构，以及1948年生活·读书·新知三联书店成立后的出版物，始于1932年，截至1951年，两辑各一百种。此为第二辑，涉及政治、经济、社会、军事、思想文化诸领域，涵盖专著、文集、散文、小说、诗歌、传记、报道等体裁，既有直面现实、追求真理、讴歌真善美、抨击假恶丑的原创作品，又有引介世界各国先进文化、传播新知、开启民智的迻译之作，真实记录了那一代知识分子的思考与探索、理想与愿景和对中华民族文化传承与创新所做出的努力与贡献。

本文库所辑入各书，多为名家名作，在版本方面，以初版一印本或经著译编者审定、修订、增订过的版本为首选，因此本文库又具有较为珍贵的版本价值和收藏价值。

本文库还将编选续辑，使之成为恢弘文化工程。诚挚希望读者给予批评和指正，帮助我们完善编选工作，再现三联经典作品之风采。殊为遗憾的是，由于年代久远，一些原著译编者及其后人未能取得联系并奉付稿酬，诚盼版权所有者与我们联系。祈愿三联前辈所创造的精神财富能薪火相传，为中华文化的伟大复兴增光添彩。

《三联经典文库》编辑委员会

2013 年 8 月

凡　例

一、本文库为重排本，由繁体字竖排版改为简体字横排版。

一、以忠实于原作、整旧如旧为编辑原则，对当时使用的专有名词、外文译名，以及民国时期的语言和特色予以保留。

一、原书注释如旧，编者所出的注释，均以“编者注”标明，以示与原书注释的区别。

一、对原书残缺或字迹漫漶之处，以□示代。

一、对繁简文本转换时的“如右”、“见左”一类，对应改为“如上（前）”、“见下（后）”。

一、对原书中各种错讹脱衍之处，直接订正，不再以其他符号标示。

一、对数字、标点符号的用法，在不损害原文语义的情况下，做必要的规范。

一、本文库各书均前插原书书影、原书版权页和文库版“本书出版说明”。

一、本书出版说明的撰写，以客观中立为原则，扼要介绍本书的内容、版本流转、著译编者的情况。

本书出版说明

本书系由朱智贤、杨云美夫妇合著的一本面向大众，特别是青年朋友的一本心理学普及读物，深入浅出地介绍了许多有关“男女差异”、“人格构成”、“恋爱问题”、“记忆”等社会常见而又亟需以心理学的知识理论加以指导与认识的问题，内容通俗且趣味性强。

本书于 1947 年 3 月由上海致用书店出版发行，本次出版即以此为底本。

作者朱智贤（1908-1991），字伯愚，赣榆县赣马人。1930 年，中央大学教育系毕业后赴日留学，考取东京帝国大学文学部大学院教育学系研究员。抗日战争爆发后，回国在高校任教。先后任香港达德学院教授、教务长兼中山学院院长，华北人民政府教育部教科书编审委员兼教育组长，全国著名心理学杂志《心理学报》编委，《心理发展与教育》杂志主编，北京师范大学教育系主任、儿童心理研究所所长。

作者杨敏（1919-1997），原名杨云美，江苏海门人。中国共产党党员，北京师范大学第二附属中学一级教师。1944 年 1 月毕业于江苏省教育学院（现苏州大学）；同年 3 月任广州中山大学助教。1949 年 1 月起任香港达德学院副教授；同年 3 月应中国共产党的邀请，由香港来到北京参加中国人民政治协商会议。曾协助丈夫做了大量的研究和教育工作。著作有《运动着的图形》等。

生活 · 读书 · 新知三联书店

2013 年 8 月

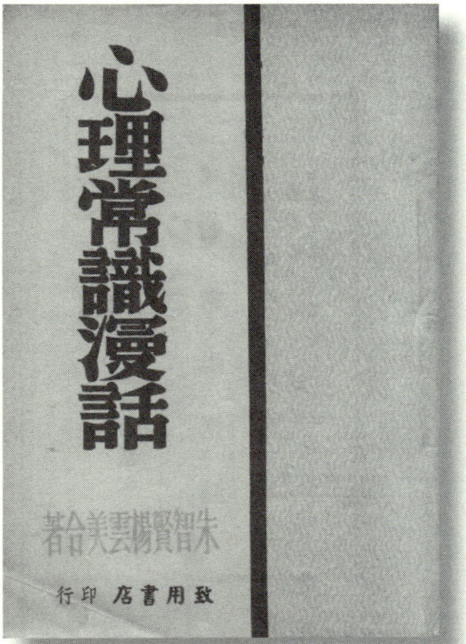

致用书店 1947 年 3 月初版书影

心理常識漫話

有著作權★不准翻印

中華民國三十六年三月初版

著作人 朱智賢 楊雲美

發行人 孫明心

發行所 致用書店 上海河南路三二八號

特約分銷處 利羣書報聯合發行所 上海河南路三二八號

聯營書店 重慶 成都 漢口

△定價每册國幣伍元伍角

3. P. 184 1-1500

原书版权页

目次

前　记

自从拙著《青年心理》小册印行以后，朋友们便怂恿我们写一本通俗的、趣味的心理常识的书，供给青年朋友及一般人看，当时不假思索的答应了。可是答应以后，问题却来了：第一，是抗战期间，材料很难找；第二，是自己的健康状况不很好。两个原因合起来，因而写了一点，就停止了。加之西南多“摆子”，我们也不免常受其害，朋友们好意劝告，叫我们不必太伤脑筋，意亦可感！就这样一搁搁下来，便搁到现在。

最近天气渐渐暖和了，想到这稿子，总觉得非完成它不可，于是鼓着余勇，分头写成，看看还算像一个样子，总也算是了却了一桩心愿。

这里面的东西：一大半是新写起来的，有几篇是从旧作中选出的，也有几篇是由平日的读书笔记缀集而成的，整个编制，没有什么严格的系统，真可算是道地的“漫话”了。

当今之世，纸张是这么贵，印刷是这么困难，我们制造这种玩艺儿，究竟能有些什么意义呢？想起来真不免有点惶惑。不过我们也不愿妄自菲薄，我们当然也有一些预期的愿望。简捷的说，这里面所包括的东西，大概都有一些科学的价值，对于“世道人心”，自信还不能说是“全无补益”。

最后，多承彬然、承芳两兄的鼓励与督促，使我们的工作终于能够完成。国立社会教育学院书记王恩溥君、同学张汉俊君为我们誊写一部分的原稿，我们都一并于此表示其感谢之忱。

智贤 · 云美记　三十二年五月于渝北温泉

一　何以人为万物之灵

我们常常自夸的说："人为万物之灵。"其实，这话是有限度的，并不是说，人是超乎一切动物之外的一种特别的东西。例如：人的爪牙，不如猛兽；人的鼻子，不如警犬；人的眼睛，不如鹰隼。至于说，人有道德，人有理性，这也只是说是可能的，有时却也并非尽然，试看：野蛮人的男女杂交，希特勒的疯狂侵略，实在并不比一般动物有什么高明之处。这说明了什么呢？这就是说：人也是一种动物，但他又确乎和一般动物不完全相同，我们只有先懂得了这些不同之处，然后才可以了解：人有什么特点？人何以会成为万物之灵？

其实，人与高等动物在其生理机构上本有很多相似或相同之处，如感觉器官、神经系统和运动器官等。因此，人可以有的机能与能力，某些动物也同样的有，像白鼠、鸽子、狗和猴子等，都能学习一些简单的事情，鹦鹉、八哥也能发出一些近于语言的声调。可是人却有一些特具的构造与机能是为任何其他动物所绝对没有的，从这里才可以找出他之所以“灵”的真实的根源。

哪些是人所独具的构造与机能呢?

第一，人有直立的姿势：人的构造上第一个特点，就是他直立的姿势。因为直立的原故，第一，他把身体的重心移到脚下，而使主持思考的中枢神经结构稳放在一个最适当的位置。第二，他把两个前肢从地上解放出来，随着物种进化的结果，上肢与下肢的区别愈来愈显，而使前肢或上肢在人类生活上演着非常重大的作用。

第二，人有巧妙的双手：在人们解放了的上肢的前端，那已不复是一双拙笨的蹄或爪，而是一双万能的手。手的重要特点就是拇指与其四指的对立，这么一来，他不但可以运用自然的工具，而且他可以制造人为的工具，因此，尽管他的眼睛、鼻子、耳朵等等，可以不如某些禽兽，但他可以制造出一些工具或机器来帮助他超过了那些禽兽。当旧石器时代，人类第一次发明用尖石块做成箭头与锥子，我们现在看来，实在粗陋得不成样子，然而这确是区别动物与人类的最好的界线。无论怎样聪明的动物，在它的生活过程中，如果碰到了不是它的力量所能克服的障碍时，那它只有屈服与适应，但是人就不同了，他可以制造出工具来征服自然、改造自然。

第三，人有优秀的头脑：神经是动物之主要的适应机构，阿米巴之能够接近食物，回避伤害，可以说是这种机构之雏形的表现。以后，动物的等级越高，神经系统也就越发达，而人类的神经系统则更较一切动物为优秀，这优秀的原因，主要的是乃根源于大脑。人的大脑，不但能像一般动物一样对外界发生认识作用，而更重要的则是它对于认识或思考的本身有着反省与类化的功能。因此，人不单单像一般动物一样接受外界的刺激，他还能更好的把因刺激而引起的思考加以联合、归类，以至发生意义与概念。这样一来，人对一切事物以分门别类、析解综合，以求出其中的具体规律，并从而控制与运用这些规律，这就是人之所以能征服自然、灵长万物的道理。

第四，人有表意的语言：人因为有较复杂的喉头和口腔的构造，因而他能发出极复杂的各种不同的声音，他利用这不同的声音，来表示与传达思考的意念，这便构成了人所独有的语言。语言如果用符号表示出来，便是文字。人类因为有语言文字这工具，于是他可以把无数的个人或社会的经验传递下去，使下一代的人很经济的接受上一代的精神遗产，并据以继续改进。人类之有今天的文化与文明，语言文字实在尽了极大的功用。至于某些动物，虽然可以发出一些简单的声音（如黄莺能够唱歌、鹦鹉可以学语、猴子也能发出十几个不同的字汇），但它们的范围与组织，最多只能等于一岁多的儿童的呀呀学语，实在算不了语言。古人说："鹦鹉能言，不离禽兽。"这话是很有道理的。

由于上述的特点，人乃在禽兽中被区别出来。也就因为这些特点，人可以认识与控制客观事物以及人类自己之发展的规律，他可以省察过去，也可以预见未来；他能够驾御自然，也能够改造自己；他虽然有与禽兽相同或相似之处，但他却可有意识的计划的过着与禽兽不同的生活。如果说"人为万物之灵"的话，这些构造与机能上的特点，便是那唯一的根据与理由。

二　大器晚成的理论根据

“大器晚成”是对于一个成功较晚的人的恭维语，这句话是有着相当的真实性的。“晚成”对“早熟”而言，早熟的东西，大概都有点靠不住或不大好，真正的大器往往需要“千锤百炼”才会成功。这在人类自身的发展成熟上，也表现得非常明显。

何以见得呢？

你看：一个小鸡将要出卵的时候，就能用嘴啄破卵壳，出卵之后，不久便能自由行动。小狗小猫在生后不久，也能自由的爬行。但是人呢？人在初降生的时候，身心都是非常可怜的样子，什么也不会、也不能，简直连一点独立生活的能力都没有，比起小鸡小狗来，实在令人起“相形见绌”之感。

人从出生到走路，普通要一年左右才可以，可是大部分的事情还要依赖别人照应：最初，在家庭里受父母的保护要达五六年之久，才可以蹒跚的走进幼稚园，从此以后，慢慢经过小学、中学、大学的阶段，那么悠久的岁月里，总是在教师或成年人的指导之下，过着生活。大学毕业了，才算是正式的开始经营独立的生活。屈指算来，从出生到能够独立生活，少者也要十几年，多者甚至要二十几年，这种发展成熟的时间，实在不能不算是很长很晚了。

人类发展成熟的时间特别的长而且晚，这究竟有些什么意义呢？这就用得上一句俗话"大器晚成"。

大概说来，动物中愈是高等的，其生活愈比较复杂，因而其发展成熟的时间也就比较长而且晚。因为惟有如此，才可得到一个充分的准备的机会。这个准备独立生活的时期，普通我们叫它做"幼稚期"。心理学家费斯克（Fisk）对于这个问题，下过工夫，他著过一本书，叫做《幼稚的意义》（*The Meaning of Infancy*），也以为：人类的幼稚期特别长，正所以表明人类发展的可能性最大。越是低级的动物，幼稚期越短，越少发展的可能；越是高级的动物，幼稚期越长，越多发展的可能。

现在单就动物的胎体（Embryo）时间来加以比较，也很显然。所谓胎体就是一个受精的卵的发育变化之后，一直到孵化成熟或脱离母体的一个阶段。这种胎体的期间，各种动物彼此不同，从这期间的长短，亦可以多少的表示出动物的等级的高低。

比目鱼	鸡	兔	猫	犬	人
5 日	21 日	31 日	63 日	63 日	300 日

幼稚期特别长，发展的可能性特别大，成熟的特别晚，这便是人之所以为大器的重要条件。因为幼稚期具有两个重要的特点：

第一，是依赖性（dependence）：人在幼稚时期，一切有赖于成年人的帮忙，得到成人帮助的时期越长，接受成人指导的次数越多，则将来他独立生活的基础，也越准备得稳固。

第二，是可型性（Plasticity）：幼稚时期，一切行为还未定型，比较容易改变。一般动物的行为，虽然降生后短期内就可以应付，但变化的可能很小，所以适应环境的能力也很小。人就不然了，人的幼稚期特别长，所以行为的可型性也特别大，因而他可以无限的接受教导、从事学习，他不但可以适应环境，还可以改变环境。

至于人类的幼稚期之所以特别长，动物的幼稚期之所以比较短，其根本的原因，当然不外乎是生物进化的结果。葛绥儿（Gessell）说得好：“幼稚期是生物进化所得最复杂的结果之一，进化之所以产生幼稚期，正是为着供给发展的需要……幼稚期是一种生长的方法，使个体的储能，可以充分的表现。”

由上所述，“大器晚成”这句话，岂不是从自然界之生物进化的事实就可以给我们证明了吗？不过在人事里的“大器晚成”，却必须以自身的努力为先决条件，不是放任等待可以做到的，只有不求速效，不图近功，对准目标，沉着努力，那工夫越久，则成功才会越大，其意义与生物进化的事实，可以说是完全符合，所不同者，只是主观的力量在这里更显得重要罢了。

三 “人之初性本善”吗

读过《三字经》的人，都知道“人之初，性本善”这两句老话，可是“人之初”究竟性本来善不善呢？这却不是可以随便断定的问题。

关于人类“本性”的好坏问题，我们古代的圣人贤者都曾注意过。比如，孔子说“性相近也，习相远也”，是说人性本来是差不多的，后来才渐有差异，但没有说明人性是善是恶。其后，孟子便肯定人性是善的，告子却以为性有善有不善。荀子正和孟子相反，以为人性是恶的，此后历代的学者差不多没有不谈这个问题的，像董仲舒主张“性本善论”，并把人性分为三等；扬雄主张“性善恶混论”……等等，他们都想从这一个主观的“本性”问题上，来找出他们的政治学与教育学的论据。然而不幸，他们找来找去，不但不能找到，而且越找越糊涂。其原因就在于全是凭着主观的独断，像瞎子摸象一样，只是片面的、直感的猜测，而不是全部的、客观的考察。

在古书里既然找不到解答，那么惟有向现代科学上来寻求，关于这个问题，我们特别要借重于遗传学的知识。

“人从那里来的？”遗传学告诉我们，人是由生殖细胞繁殖而来的。不单是人，一切的动物都是由生殖细胞变成的，不过低等动物与高等动物有若干的差异而已。比如：单细胞动物如变形虫（Amoeba），它是以一个细胞而兼营养与生殖两种作用的，它的生殖的方法是由细胞分裂而来的。至于人类，就有些不同，他是专有一种细胞经营生殖作用的，而且他是由两性的生殖细胞交配（Fertilize）结合而成的。我们要找人类的本性，就只有从这生殖细胞的交配上去找。

生殖细胞所赖以遗传的机构，乃是细胞核中的“染色体”（Chromosome），凭了这染色体，便把父母和祖先的、生理的以及机能的各种特点，传了下一代生殖细胞内，染色体的数目是四十八个，在成熟的过程中，经过一度“缩减分裂”（Reduction division），于是各归为二十四个，雌雄交配的结果，便又恢复了四十八个的数目，所以个体的特点是受于母体和父体的各一半，而父体和母体又各受于他们的父母，如此可以一直追溯到远祖。比较起来，父母的遗传上的作用最大，近祖的势力次之，愈是远祖，其作用愈小。其次，染色体里面的各种遗传因子，普通叫做“基因”（Gene），这种“基因”的发展是要受制于各种条件的。第一，是生殖细胞本身的状况。第二，是父体和母体的生理与机能的状况。第三，是环境的状况。这些条件是互相制约互相影响的。比如说，两只黄狗交配了以后生出小黄狗来，这小黄狗具有狗尾、狗头、狗的五官四肢以及全身是黄毛，而且有狗所具有各种生命的机能，这一切，当然是由生殖细胞中的“基因”发展而来的，但它却并非单单靠了生殖细胞本身来决定的。一对常态的健全老黄狗才会生出常态的小黄狗来，假如老黄狗不健全，便会影响生殖细胞的不健全，生殖细胞的不健全，会使小黄狗不健全，或甚至不能够成为小黄狗。而老黄狗是生活在环境里面的，它不是孤立的悬空的东西，环境里面各种物理的（如日光、电力、热力）、化学的（如食物水分）因素是决定老狗存在的条件，同时也就是决定小狗发育成长的条件。说到这里，我们可以明了：一种动物的本性，主要的受制于两种条件：一个是前代的或祖先的（包括近祖与远祖）生理特点与这生理所可能发生的机能，比如狗生狗，人生人，这可说是一种生物发展的可能性。另一个则是生物所存在的环境，因为生物存在与生物发展都是在环境里面进行的，环境如果发生变故，则生物的存在便根本发生动摇，至于新的生物发展的可能性能否转化为现实性，那就更成问题了，比如老黄狗可以生小黄狗是不错的，但是如果环境里不能供给以各种常态的物理的化学的条件，小狗已根本不能实现，小黄狗的各种机能与特点，则更无论矣。

由于以上的说明，可知本性的形成，不是什么神秘的事情，它只是遗传的可能性在一定的环境下向现实转化的过程中所出现的各种生理的机构与这生理所具有的各种机能而已。它不是孤立的先验的精神作用，而是可以查考的客观的事实。

说到这里，一定有人要问：本性的来历是知道了，那么，它究竟是善的呢？还是恶的呢？关于这个问题，我想是很容易解答的。首先，我以为所谓善恶的问题，是不能作为自然科学的问题来提出的，因为善恶是一个是非问题、价值问题、道德问题，这些问题是属于社会的范畴，在自然科学上是找不到解答的。其次，善恶本身也是没有固定的标准的，它是随了社会的变动而变动的，在不同的时间与不同的空间，常有各种不同的看法。比如，一百年前的中国人，大多以为留辫子、缠小脚、向皇帝行三跪九叩首的礼是对的，但现在就变成不对了。又如西洋人把拥抱接吻看作是一种公开的礼仪，但在中国，我们便不能那样做。现在，我们同样可以来应用到本性问题上，比如，老黄狗生了小黄狗，这小黄狗也许无人教养，到处流浪，我们便称之为“野狗”。也许是找到了主人，终日看守门户，摇尾乞怜，我们便称之为“良犬”。但这是从“人”的方面看的，若从狗的方面来看，也许要称赞前者为“自由狗”，而大骂后者为“走狗”。又如日本人在东三省大表演其王道乐土的“率兽食人”的故事，训练了许多凶狗，专门活吃中国的义勇军。这从我们看来，认为是“恶狗”，但从日本看来，便认为是“皇犬”。其为狗也则一，但其为善、恶、好、坏，却随社会标准的不同而不同，所以从“本性”上来找人性善恶的答案，是永远不会有结果的。

因此，“人之初性本善”这句话，是要打相当的折扣才行。人性之有善恶，多半是后天的事情，如果说先天也有关系，那也只是由于生理的与遗传的关系。比如，在遗传的过程中，因神经系统的不健全而产生的愚笨，及因愚笨而发生之较多的过失行为等是。但这种事实的本身，却也并不含有什么道德上的善恶的意味的。

也正因为人性善恶是后天的品性的问题，所以教育工作在人性改造上乃占了极重要的地位。

四　城里人与乡下人的心理

在我们的故乡，有许多故事、歌谣和歇后语等，是专门用以讥讽乡下人的，比如："乡下人不识货，只拣大的摸。""乡下人穿长袍——一定有事。""乡下人不认识牙刷子——磨牙的骨头。"……搜集起来，着实可以印成一本小书。至于小城市里的人，一旦到了大城市，也同样的被作为乡下人看待，比如，住在上海久了的人，往往骂那些初到上海呆头呆脑的人为"阿木林"或"猪猡"，而自己却骄傲的称为"老上海"。

这究竟是什么道理呢？难道城里或都市里的人天生的就比乡下人或小地方的来得聪明或灵敏些吗？

这是一个值得考察的心理的问题。

我们说过：心理或行为的构成，脱离不了刺激反应的关系，城里人是人，乡下人也是人，反应的机构，本来并没有什么两样，其所以发生差别，我们认为环境的刺激之不同，实在是一个最根本的原因。

记得教育家杜威，曾经打过一个最好的比喻。他说，有一对双生子，体力智力都差不多相同，但是生下来之后，如果一个留在繁华热闹的纽约城，一个却送到辽远荒漠的哀斯基莫，等到他们成人之后，他们简直是两个完全不同的人，一个是文明的绅士，一个却是粗鄙的野人。他们之间的行为发展上，有着极巨大的差别。这个差别是从何而来呢？我们似乎不能不归之于环境。

这个比喻，很可用来说明城里人与乡下人的心理差异之产生的根源。

首先，我们应该说明城市与乡村的起源。

城市与乡村的划分，当然不是“从古如斯”，它们也有它们的来源，这是社会发展史上的一个问题。简单言之，农村或乡村之形成，是在农业定居社会产生以后的事情。谁都知道：农业生产是须要等待的，“麦子种下去”，并不是立刻可以收获的，为了等待，便须定居于一处，这事实可以说是农村形成的开始，但还没有所谓城市与乡村的对立。

城市脱离乡村而独立，甚至于来统治乡村，是以土地私有制度的完成及地主身份的确立为其契机的。因为土地私有制完成以后，有些人便从此成为土地所有者，但不复是土地劳动者，这便是地主。地主既然脱离了生产过程，他无须再住在田边，做那些胼手胝足的工作，而要选择一个在交通上、在治安上、在享受上比较优越的地方，作为他的庄园或堡垒。加之，交通的开发、手工业的发展以及货币的刺激等等，这等“不在地主”们的欲望与需求，一天一天的提高，为了迎合这些需要与欲求，地主们的居处附近的工业与商业，乃日益发展，这些工商业特别发展的庄园或堡垒，渐渐从那荒僻的住满农民的三家村中区别出来，它不但独立于乡村之外，它并且统治着乡村而与乡村对立，这就是所谓城市的来源。

乡村是一个纯农业的古朴沉静的地方，而都市却是工商辐辏的热闹的场所，其结构、其状况、其发展均不相同，因而它在对于人们发生影响而成为行为的刺激时，当然也完全不同，在不同的环境刺激之下所形成的人们的行为，必然的也就两样，城里人与乡下人之心理不同的原因，从这里我们才可以得到充分的说明。

现在以中国为例，比较的更为亲切。

谁都知道，我们中国的乡下人，是有着迟缓、重伦理、过于散漫等等特性的，他们与居住于上海、南京、天津一带的那些“摩登分子”简直是两种人。其实，这一点也没有什么奇怪，各人所处的社会环境不同，当然其行为的发展，也不会相同。

我们知道，中国原来是一个长期的落后的农业生产的社会，一大部分是属于自给自足的封建经济。农业生产本来就是一个缓慢的过程，需要静静的等待，每一种作物，从播耘到收获，都要经过相当的时日，在这些时日里面，生产者着急不得，大家只有耐着性子，安居下来，这便形成一个一个的村落。而且，在封建的自然经济的本身，常常阻滞着商业和交通，使它不能有高度的发展，尤其因中国社会发展的特殊性，更充分的表现出这种事实，除了少数庄园因为是封建地主的居留地，那里交通比较便利，与大地主们欲望的需要，而成为具有若干的工商业的城市以外，其余大都是老死不相往来的自然村落。这些生活于自然经济状态里面的人们，他们很少交通的、商业的刺激，所以“迟缓”是必然的，“紧张”倒是例外，如果有一个农民很紧张而敏速的穿越村落而去，别的农民一定会揣想这准是发生了什么特别的事故。

其次，就每一个村落的本身来说，因为他们都是那么一样的安静的等待，而且生活都极简单单调而少变动，这又自然而然的使他们互相熟悉、互相关怀，加之封建经济是把农民束缚在土地上的，使他们安土重迁，无法逃亡，这便无可奈何的增加他们之间的亲睦的情谊。东邻与西舍之间，总可以扯上一个叔伯或表亲的关系，东家有几条猪，西家有几只鸡，甚至有几个白的、几个黑的，在长久的无聊的岁月里面，他们都互相摸得很熟。于是我们的哲学家便说：中国是天生的一个注重人伦的社会。是的，说是一个“人伦的社会”，话不算错，但说是“天生的”，却有问题。

至于散漫，也同样的有其社会的根源，在那一种孤立的小农的生产当中，没有产生集体生活或组织的必要与可能，偶尔有之，那也很少是主动性与政治性的；加之农民是属于小所有者群的，小所有者的自私、动摇的根性，他们也都同样的具备着。在历史上，农民战争当中，他们常常是被动的起来与被动的结束，在斗争中，他们总是扮演着被利用与被出卖的悲剧的角色。这一切都不是偶然的。

再看近代的资本主义的社会便不然了，在那里表现出来的是紧张、机警和敏速，与封建的农村社会对比起来，简直是相反的两个世界，无怪乎乡下人一到了上海就昏天黑地的像喝了迷魂汤一样，上海的市侩与流氓们便称他们为“阿木林”或“猪猡”。

居留在上海那样畸形的繁华城市，或任何资本主义的社会的人们，他们天生的就该不是“阿木林”或“猪猡”吗？当然不，他们之所以成为其引以自豪的“老上海”或“城里人”，乃是他们参加了那一个为一定的社会经济机构所决定的特定的社会关系的原故。

在资本主义的社会里，它的生产不复是人们散漫的等待在土地上，而是集拢来围聚在机器的旁边，这决定了所谓现代人的心理的发展。大家都知道：资本主义生产是一个继续不断的扩大再生产的追求利润的过程，它与封建社会里的商业资本是不同的（商业资本在中国老早便存在着，奴隶时代就已经有了它的踪迹。但商业资本却不等于资本主义，虽然资本主义的社会里也有商业资本）。中国旧日的商业资本，其过程是：抛出货币低价的购入商品，等待机会（即市价）再把商品高价的售出，这一入一出之间，商品本身是没有变动的，而且他也不是急于售出。他要静候市场价格的状况，这种情形，好像打摆子，忽而紧张，忽而弛缓，在中国大部分旧城市里的商人（或居民）都是属于这一型的，他们没有现代都市里那种紧张复杂的气氛，但比之一般单纯质朴的乡村中人，他们已经是机警多变了。资本主义的社会就完全不同，它以货币（资本）购入原料（商品），但并不直接出售，它同时又以货币置备机器（生产工具），并招雇工跟劳动者（劳动力），将原料加工使它成为新的商品，这新的商品有种种特点：第一，它是包含一定的本金与利润的，它无须等待市价，譬如，一双皮鞋，如果把原料、机器的消耗、工资等等，合算起来，需洋一元，但依照社会的劳动价值。它可以值洋一元五角，划一不二，无须讲价，多卖一双，老板的荷包里就多进五角，因此，他无所顾虑的要求加快的卖，越快越好，就这样，把再生产的过程，无限制的扩大，资本像滚雪球一般，便越滚越大。第二，它从生产到倾销的过程中，不但无须等待，而且也不能等待，机器停顿不用是要生锈的，工人也不能白养着，因为是要支付工资的，如果等待不动，那不但划不来，而且很危险，这也促使着他们要求加速生产，加速倾销。为了上述的特点与要求，于是资本家不得不高度的发展交通线，加速的扩充销售网，一切要快，要敏捷，只有快而敏捷，才可适应那一个生产机构。因此，表现在资本主义社会里面的是“紧张”而不复是“迟缓”，这不是人们愿意不愿意如此，而是事实迫得他们不得不如此。

再从资本主义下的“组织性”与我们的“散漫性”来说，也是一样可以理解的。资本主义不论愿意与否，它已无可避免的把劳动者集结并编制于机器之旁，他们的知识水准提高了，他们的利害是一致的，他们必须运用集体来向资本家斗争，而资本家们为了进行其掠夺与镇压，也必然的要加强其组织性，这又说明了为什么我们的同胞是散漫的一盘散沙，而人家却是有组织的力量。这也不是谁愿意如此或如彼，恰恰相反，其中是存在着必然的因果性的。

至于资本主义的社会，以商品为核心，以金钱为万能，一切商品化、金钱化，在人与人的关系上，也从而表现了浓厚的商品式的个人主义，它自然不会像我们那样的敦礼重伦，这更用不着喋喋解释了。

由于以上的叙述，我们可以下一论断，即：城里人与乡下人之心理的差异，并不是先天的或天生的，而是有其一定的社会的根源的。一般城里人之对乡下人的歧视，以及一些自居为优秀民族的国家之对弱小民族的诬蔑，可以说完全是由于人类的偏见所致。

要使“乡下人”不再成为取笑的名词吗？那只有先消除城市与乡村的对立，换言之，就是要改造城市与乡村的社会关系，使乡村工业化，使乡村不复为城市的附庸，还有更重要的，是使一切人们的关系合理化起来。

五　男女差异与男女平等

近来坊间出过一种小书，叫做“女权论辩”。有的人说，“女子的适当的位置是在家里”。有的人却提出反驳，说这是侮辱女子，女子也应该和男子一样到社会上去。真是议论纷纭，五光十色。我们想：所以造成这种争论，当然原因很多，比如，重要的便是社会的原因，像有人举德国为论据，也有人以苏联为规范，就是一例。但从心理的观点上来看，人们对于男女差异之观点与认识的不同，也是一个很重要的原因。

男女究竟有没有差异呢？当然有的，不过是不是因为有差异，就会引出“女子适当的位置是在家里”这一类的论断呢？我们的意见以为：

一、主要的是生理的差异：从生物学上看，雌与雄的生理是不同的，譬如，生殖系统的构造，便首先是不同的，当然会引起若干其他的差异。

二、其次是因生理而引起的心理的差异：生理的构造不同，所以心理上也就有差异，比如女子每月有一次月经，这月经对于女子的心理上便有多少影响，这是男子所没有的。

三、差异不是固定的而是变化的：男女差异之在今天，可以列举出来的很多，但这不是天生的，而是逐渐由于环境与个体之交互关系而造成的，环境不同，这种差异也就随着变动。至于有些人说：女子是“天生的”喜欢琐碎的事情、喜欢哭、喜欢看家等等，这完全是胡说八道。

四、差异不是社会经济地位的不平等：有些人利用两性差异的理由作为男女不平等的根据，那当然是错误的，差异只是说明各人所负担的任务不同，却不是地位也因而应该有高下之分。

五、差异不是对立而是合作：所谓差异，并不是谁好谁坏，或者是男的要变成女的，或女的要变成男的，而是互相帮助，互相合作。

根据这些观点，我们进一步可以看看两性间究竟有些什么差异：

第一，是生理方面——两性生理的差异，可从以下几点得到说明：

一、第二次性征：男女之最初的第一次性征，只是生殖器官不同而已，真正的男女差异，乃产生在青年初期第二次性征发生的时候，即是生殖机能成熟的时候。从这时起，男女生理上日渐不同起来，比如，男的生毛，女的不生毛；男的分泌精液，女的开始月经；男的乳部平常，女的乳部凸起；男的声音变粗，女的声音变细；男的胴体粗直，女的胴体成为曲线等等，皆是。

二、成熟的差异：男女成熟的时期也是不同的，大概男的青春期开始的晚些，而成熟也晚些，女的青春期开始的稍为早些，而成熟也比较早些，这当然是大概的说法，不能一概而论。

三、各部的差异：就现状而论，男女身体各部的差异，比较明显的有这么几点：（一）一般男子的身长比女子高些。（二）女子较男子富于脂肪质，因而在害病、受伤或分娩的时候，比较富于忍耐力。（三）男子有喉核，女子没有。（四）男子肩部较阔，女子腹部及臀部较阔。

（五）此外各部生理的差异，当然还有很多，不过因为没有一致的结论，这里便不多介绍了。

第二，是心理方面——两性心理方面的差异，由于环境造成者更多，就现状论，下面几点是比较明显的：

一、女子周期的心理变化：这是男子所没有的。女子因每隔二十八天来一次月经，于是心理上也随而有周期性的变化：大概身体各种机能的能力，在月经开始前，极力增加；与月经开始同时，则急急较前减少；月经过去一半的时候，乃达到最低点；从此徐徐恢复，又达于日常之水平线。很多女子，在这期间，会感到精神不快，甚而有头痛、心悸、呕吐、食欲减退等现象。

二、各种感觉的比较：在感觉方面，大概：（一）皮肤觉女子较男子敏锐。（二）但痛觉大多女子比男子迟钝。（三）嗅觉味觉大体上是女优于男。（四）视觉也是女子比男子敏锐。（五）体觉则无多少差别。

三、情绪方面的差别：青年期的人，情绪总是比较容易激动的，但就男女加以比较，大概女子比较男子容易动感情些。

四、智能方面的不同：关于男女智能方面的不同，大多是由于环境和教育的不同所致，很难有一个可靠的结论。大体上说，男子的记忆力似乎不如女子，但也不能视为定论。此外还有人说，女子长于具体事物的思考，男子长于抽象事物的思考。更有人说，男子的智能高超的与低劣的均较女子为多，而女子则集中于平凡。我们觉得这些话都是就现存的现象而说，而这些现象的造成，大半要归之于社会环境，绝不是男女天生的就有这些区别。

由以上言，男女既有差异，所以有些事就必须分工，比如生养子女，主要的是偏劳女子，这是无可如何的。但却不光凭了这一点理由，就夸大的说，女子不该做这样，不该做那样。大概在能力上说，男女本没有多少差异，男女差异之所以变成今天这样的悬殊，一大半是社会的原因，试看苏联女子之能与男子同样的参加各部门的工作，就是例证。因而我们说“男女差异与女子的适当的位置是在家里”这句话，丝毫也不相干。换言之，男女差异是绝不能作为男女不平等的理论的根据的。

六　人格的构成及其类型

心理学上的“人格”，与伦理学上的人格的用法，是多少不同的，譬如普通说“这个人毫无人格”，这便是伦理学上的说法，它含有价值的批判的意味。至于心理学上所谓“人格”，它只是指关于一个人的行为的综合体而言。

人格的构成不外乎三种条件：

第一，是生理的：重要的乃是属于遗传的，一个人在遗传过程中所禀赋于父母之诸机能的特点，此种特点往往决定其行为的机能或倾向，例如，精神系统的健全与否，腺体系统之构成的状况等等，往往使一个人的行为上表现出一种独具的特点。像聪明与愚笨、多情与冷酷等等，这种特点贯通了他全部的行为。这便使他有一种独有的人格。

第二，是环境的：自然环境可以使人的行为往一定的型式发展，俗语说“山性使人塞，水性使人通”，便是说自然环境对于人性的影响。社会环境尤为复杂，资本主义的社会中会产生浪漫的个人主义，封建的农业社会中会产生保守的生活与思想，城里的人多爱活动，乡下的人多趋恬静，中国的北方人多率直，南方人多机变，皆其著例。

第三，是习惯的：刺激反应构成行为，行为经过较长的时期而定型化了的时候，名之曰习惯。习惯不单是动作的，而且是情绪的、思维的。这些东西在定型化之后，往往足以影响以后行为之倾向，此种习惯的系统，吾人有时名之曰品格，实则品格不过为人格之一部分而已。

一般人对于人格的判断，往往不甚正确。比如，我们常说：“某人爽直”，“某人狡诈”，其实，这都是大概的说法，只可作为参考而已。也有人往往以偏概全，比如饭馆里的堂倌，看见穿好衣服的人，便殷勤招待，其实好衣服并不能代表真正的人格，最多只是人格的一部分或人格的伪装而已。

在心理上，评定人格，大多用测量的方法。最初，如骨相学的方法，由观察一个人的头颅骨及头部的特征，而断定一个人的行为。中国的相法便与这个相近。因为这种方法含有很多的迷信独断的成分，所以不足为据。此外如笔迹、声音、姿势、步容、器官的部位（如眼、鼻、口等），均曾被作为测定人格的根据。这在观察方法的应用上，也未尝没有多少补益，不过不很正确罢了。现代的测验较为精密，包括甚广。如：

（1）身体各种特点：如，身、体重、外表，面部、健康、机能等等。

（2）心理各种特点：如，智慧、记忆、知觉、推理、思想等等。

（3）各种特殊才能：如，音乐的、艺术的、机械的、运动的，及社会的等等。

（4）各种习惯：如，知识、兴趣、技能等等。

（5）气质：大多偏于情绪、态度，如内向的，或外向的，冷酷的，或热中的等等。

（6）意志：指活动的动力而言，如积极的，或消极的，坚决的，或犹疑的，勤苦的，或懒惰的等等。

（7）性格：较含有道德的、价值的意味的，如自私的，或利他的，忠实的，或欺骗的等等。

以上测验的方法，心理学界使用时，或重全部，或重一部，或重心理，或重生理，或重情绪，或重性别，于是对于人类之人格或品格的类型，乃有不同的分类，兹略举如后：

（一）从生理上着眼的——

（1）以体型分：分为肥满型、瘦长型、斗士型及异常型四种。

（2）以血型分：分为O型、A型、B型及AB型等。

（3）以腺型分：分为甲状腺型、肾上腺型及脑下腺型等等。

（二）从情绪上着眼的——如翁德（Wundt）分为：

（1）胆汁质：情绪强而速。

（2）多血质：情绪弱而速。

（3）神经质：情绪强而迟。

（4）黏液质：情绪弱而迟。

（三）从性别上着眼的——如威宁格尔（Weiningel）分为：

（1）男性型。

（2）女性型。

（四）从精神病上着眼的——如克莱兹码（Kretschmer）分为：

（1）异常状态：回归病与乖离症。

（2）中间状态：类回归性气质与类乖离性气质。

（3）平常状态：回归性气质与乖离性气质。

（五）从行为倾向上着眼的——如荣氏（Young）分为：

（1）内倾的。

（2）外倾的。

此外分类尚多，不能一一备举。兹以“内倾”“外倾”为例，列举其特点如下，以见一般。

内倾的人，大概有以下诸特点，如：面孔容易红，不喜欢交际；只能交很少的朋友，常限于同性，对于异性，则十分局促；他沉默寡言，语气不流利，集会的时候，他常退缩在后面，不肯向前，更不愿当主席，站在群众前面演说或报告，在他简直是活受罪；他常沉在深思和幻想之中，常常独自乱想，白天做梦；他喜欢独自关在房子里看书，做喜欢做的工作；他情愿独自努力以解决问题，不愿旁人帮忙；他遇事优柔寡断，不能当机立决，但却又固执，主张不容易改变；他感情特别丰富，容易认真，常常恼羞成怒，常常兴奋，和人争执，常常为了芝麻大的事儿，甚至无故，会一天到晚，觉得不快活；他又多疑多虑，老喜欢捉住别人一两句话，来仔细推敲分析；他多心，写信常常是改了又改，写了又写；做一宗事，又老喜欢告诉人家为什么这样做的理由；他当是忠厚谨慎，但又比较自私，轻易不肯借东西给别人；他心地很窄，发现人家的成就在自己之上，“相形见绌”的感觉特别灵敏；常避开人家，极力避免与人接触的机会；他不易与人相处，不能很完满的与人合作，他所爱的工作，多是不需要与人合作的，又是属于琐碎细密的种类，他所做的工作，又不能持续有恒，常时做时辍；他严责于人，善于原谅自己，另一方面，他又不大为别人设想，讲话时不顾别人的反应；他常常表示不同凡俗，“高人一等”；他不苟形色，但内心里却万分焦急于现在及未来。总而言之，内倾的人，总是在内心构成一个自己认为妥贴的境界，来寄自己，而厌与现实世界相接触。

外倾的人，无论行为、思想、习惯……各方面，都一一和内倾的相反。根本上，他的情绪易形于外而表现于行为。他活泼、愉快、活动，言谈举止，常是洒脱大方，少深思而易于同情的反应。他注意客观的世界，很少注意自己的本身。如果条举起来，太觉累赘，兹以交友一项为例，即可见其一般。

外倾的人，他喜欢交际、随便、和坦率；他不知道什么叫做难为情，他能毫不踌躇的对许多人演说；和初见面的甚至毫不相识的人，他能很快的混熟，“一见如故”，他豪爽、不羁，可以一掷千金，全无吝色；人家对他开玩笑，他不生气；可是他又常常留心自己所说的话、所做的事，不让朋友因此伤了友谊的关系；他遇见比自己优越的人，从不嫉妒，反而联络过去，他能把真心话向许多人和盘托出；当然，他除同性朋友外，也喜欢结交异性朋友。

以历史上的人物来说：颜回是属于内倾的，子路是属于外倾的；庄子是属于内倾的，孟子是属于外倾的；马克思是属于内倾的，列宁是属于外倾的。

世界上每个人都有他独具的人格，这种人格的型式，或者是偏于一端，或者是居于中间，真是合着一句俗话：“人心不同，如其面然。”不过，一个人太外倾或太内倾了，都不容易和别人适应，比较的还是以调和适中的较为适当。好在：第一，绝对内倾或外倾的人总是少数，也犹之乎过高或过矮的人总是少数一样；第二，这种内倾外倾的性格不是固定不移的，而是可以因了环境的影响发生改变的。

总而言之，人们无论为了认识自己的个性，或者为了了解别人的行为，对于自己或别人的人格型式的了解，都是非常必要的。

七　心理可以影响生理吗

从来医生治病，大多仅仅注意生理上的原因的寻求；讲求健康的人，也只想到生理的营养与卫生。至于心理对生理的影响，人们并不是全不知道，只是因为所知道的甚少，便不免给忽略了。古语说："忧劳伤身。"又说："心广体胖。"可见古人就已意识到这个问题的重要，不过自从近来心理科学的日益发展，才引起人们对于心理事实之较大的重视。

有人研究过音乐家的夭寿和他们作曲的曲调，有着很密切的关系，这也很可以作为心理影响生理之有意味的说明。据说：世界有名的音乐家如莫扎特、叔伯特和勺旁三个人，都没有活到四十岁；而悲多芬、瓦格涅、巴哈和里斯特等，少者活到五十七岁，多者活到七十五岁的，比较的都是高寿。奇怪的是莫扎特等三位早夭的音乐家，所作的曲子，都是同样的充溢着哀愁、享乐及自我陶醉的意味，而悲多芬等人的作品，却是豪壮的、雄大的，这种对于艺术和人生的不同的态度，不但表现在他们曲调的作风上，同时，也关系到他们的本身的寿命。心理是如何的关联着与影响着生理的健康与发展，这里也获得了很多的证明。

本来，生理的影响心理是容易见到的，比如，身上有了病痛，精神上就觉得难过；而心理影响生理却是较为隐伏而缓慢，可是也就因为如此，人们常常不加注意，以致日久根深，不可收拾，实在是大可惋惜的事。

最明显的是发怒对于消化的危害。据许多人估计，人们患消化病的普通有三分之一或四分之一是由于情绪的作用。哈佛大学生理学教授凯能（Cannon）曾说起有一位妇人，到波士顿去求治于一位专治神经性消化不良症的医生，这病人和她的丈夫同住在一个旅馆里，第二天早上她吃了一餐饭，在饭后一小时，去看那位医生，一经检验，发现她不但没有正常的消化液分泌出来，而且上一天晚上吃的东西，也还有许多没有消化掉呢。陪伴她来治病的家庭医师，把这现象的原因泄露了出来，原来她的丈夫趁此来游波士顿的机会，在一天晚上，喝得酩酊大醉，使这病人不安的过了一夜。第二天好好的休养了一夜，在翌晨检验时就发现消化得毫无异状。

这实例说明了：不但肠胃的正常动作，会受情绪紧张的妨害，就是消化液的分泌，也会受其影响呢！

忧愁也足以损害正常的生理的发展。据说，有一个人跌断了一条腿，在医院里受治疗，他痊愈得非常慢，那些折断的骨头始终不肯愈合。一经调查，才知道他在忧虑着他家属的生计，以致消化液分泌得不畅。他"胃口"不好，吃得很少，因而没有摄取得充分的促进骨骼生长的必要资料如"维他命 D"等，一经人家对他证明：他的家属有人在照顾着，生活并无问题，他的腿就迅速的痊愈了。

情绪过分紧张，以致使生理上发生不良的变化的事例，也非常之多。比如，一般足球比赛的球员，通常并不被认为是感情特别丰富的人，可是他们在比赛前的小便，检验起来，往往含着糖分——这是心理上的紧张所造成的"情绪性糖尿病"。正在应试的学生，或情绪相当紧张的任何人，都是这种"暂时的糖尿病"症候。

许多实例表明，有的长期糖尿病是情绪的紧张所造成或促成的。有一个男子发现其妻跟别人通奸以后，得了永久性的糖尿病。有一个德国的军官，因作战有功而获得了“铁十字”勋章，但他所经历的心理上的紧张，使他永远成了一个糖尿病患者。

以上是就不良之心理状态对于生理所发生的不良影响而言，至于良好的心理活动，当然也可以使生理上蒙受良好的影响，一个人在快乐的时候，消化系统的活动是正常的、活泼的。所以有人主张：一个人每天要大笑三次。我国也有句俗话说：“笑口开，幸福来。”这些话当然都是有着相当的经验的依据的。

用心理的方法，来治生理的疾病，在近代社会中也渐渐为人重视，大家知道的催眠术，就是一个很好的例子。奥国的医生弗洛德专以心理分析的方法给人治病，尤著成效。还有法国的库维（E. Cov' e）用一种所谓“自暗示”（Auto - Suggestion）的方法，来治疗疾病，亦很新奇。库维尝教人每天早晚在睡前或是醒后凝神微诵：“从种种方面看，我都一天好似一天！”许多人照这种办法做去，果然觉得身心日渐健康。有特殊毛病的人，还可以施以特殊的自暗示，比如，体质羸弱的人，可以自暗示说："我的身体比从前渐渐强壮起来了。"或者患某种病时，即用手按摩病处，自施暗示说："这病渐渐消去了。"这种自暗示治疗，尝奏奇效，不特心理的毛病可以应用它，就是风湿症、肺病以及其他器官病，都可以用自暗示治愈。欧战中就库维请诊的人，每年至一万五千人之多，其信用大可概见了。

由此看来，心理卫生对于人类健康的贡献，并不在生理卫生之下，今后心理健康运动的发展，实在是万分必要的事情。

八　惧怕与人生

惧怕是一种极普通的情绪，有人怕雷，有人怕黑，有人怕鬼，有人怕失败……总之，每个人在感到或碰到危险的时候，惧怕往往紧紧的跟随着出现，它对我们生活上的影响实在太大了。它是怎样来的？它有什么坏处？又有什么好处？我们应该如何处理它？这都是我们应当详细知道的。

在惧怕的时候，我们的身心自然而然的发生许多变化。比如：周身发抖、心跳加速、瞳孔张大、消化停止、肌肉充血、面色发青，以至口干、出汗等都是。在心理上往往呈现一种手足莫知所措的样子，如果刺激太大，有时甚至失去知觉，意识模糊，发生一种人格破裂的状态。

惧怕是怎样来的？这有种种不同的说法：有人说

是先天遗传的，也有人说是后天获得的，究竟谁说得对呢？大概说来，人类在环境里生活着，常不免碰到各种危险，为了避免这些危险，就产生一种畏缩的或抗争的情绪以图挣扎，这时身心的构造和机能，为了适应此等紧急状态，自然会发生种种变化，这些变化，经过了悠久的遗传过程，在生理、心理上，就形成了一种定型的反应。这种事实里面，当然包含着多少的遗传成分在内，乃是无待怀疑的。瓦特生以为小孩子怕大声，怕突然失去凭依，这两件事，是原始的或本能的，这话也有相当的道理。

据巴黎大学皮霭朗教授（Prof. H. Pieron）的报告："要是将一只蟹的螯足，缚在一根木杆上，而不给它食物，它会逗留在那里至死。要是把一只八足的真章鱼——蟹的死敌放在近旁，蟹立刻会扭断它的螯足而逃。可见由恐惧所发出的力量，足以增加那蟹的胆量而设法逃走。"这也足以说明惧怕多少是由于遗传的势力。

不过，大多数的惧怕，却是后天获得的，是直接或间接学习而来的。关于学习而来的惧怕，普通有下列四种情形：

“第一，由于直接的经验：小孩子第一次见火，不晓得危险，用手去玩它，被火烧痛了，方晓得厉害，下次不敢了。初生之犊不畏虎，就是因为它没有经验，以后吃过老虎的亏，或者看到同伴被老虎咬过，那就害怕虎了。我们猜想牛若是像人，也能说话，它们还不是也要谈虎色变?

“第二，由于类化：本不怕的东西，可是它与我们所害怕的东西相似，因此也怕它。有人怕蛇，以后看见老鼠也害怕，因为老鼠的尾巴像蛇，甚至在晚上地下的一根绳也害怕。

“第三，由于交替反应：本来不怕的东西，但它总是与我们怕的东西联在一起、一同出现，所以也怕它。例如棺材，本来不过是几块木头，没有什么怕的理由，因为它总与尸首或死的概念联在一起，所以也不免怕棺材。这交替可以推广：不止棺材，凡是和棺材有关系的，如同：停棺材的仙厝、庙宇甚至于卖棺材的铺子，都逐渐可以引起惧怕。

“第四，由于暗示与模仿：看见人家怕也怕，这就是模仿。儿童本来不怕什么的，他们的惧怕，多半是学大人的情绪。模仿又与暗示接近，大人常常恐吓儿童说：你若是不好，就把你关在黑屋子里。或者说：今晚有鬼来捉你。或者说：洋鬼子会吃人。儿童受了暗示，所以养成怕黑、怕鬼、怕外国人的心理。”

以上是说明惧怕的由来，不过惧怕对于我们生活上的影响是好的？还是坏的呢？要解答这个问题，那就要看惧怕的性质而决定了。

惧怕的性质，普通可以分为两类：一类是消极的、破坏的，比如，怕黑、怕鬼、怕生人等都是。一类是积极的、建设的，比如，怕落后、怕失败、怕不名誉等都是。我们如果于不该怕的东西，也去怕它，这便是一种懦怯，这在生理心理两方面都是有害的，所以从这方面看，惧怕是对我们不利的。但一味得意忘形，无法无天，也会给我们生活上增加许多危机。为了减少人类社会的危机，对于应当怕的事物，事前加以提防与小心，也是必要的，这种惧怕，乃是一种理智的警觉，在我们的生存与生活上，则是必不可少的，所以从这一方面看，惧怕也不是完全无益的东西。

不过，不论如何，惧怕对于生理与心理上，多少总是一种不良的情绪，如果要使这种不良的情绪对我们生活上有若干好处，那就必须用理智来驾驭它才行。

怎样减少不必要的惧怕情绪呢？

（1）了解惧怕的对象：大多数的惧怕，常常由于“无知”（Ignorance）而来，在天文学气象学未发展的时候，人们对于雷、电、月蚀、日蚀，都无端的有一种惧怕的感觉。火车、飞机，刚刚发明的时候，许多人不敢尝试，都是因为对于这些事物不了解的原因。作战也是一样，如果能知己知彼，那就一点也不怕。据说：从前有一位将军，英勇无比，每次临阵，坐在马上，任飞弹过他的身子，他丝毫不动。有人问他有何秘诀，能如此勇敢？他说：“每次临阵，心中设想敌人怕的心理与他怕敌人的是一样，因此就不怕。”兵法上说：“知己知彼，百战百胜。”这实在是减少惧怕之最好办法。

（2）直接行动：所谓直接行动，就是对于觉得怕的事情偏偏去做，久之，便不怕了。因为我们对于事物之所以怕，常常由于对于该事物不很清楚，如果常常去实地行动，事物的真象被我们摸得明白了，当然就不怕。比如怕讲演、怕交际、怕游泳的人，经过若干次实地练习之后，知道其中的道理与方法，以后再也不会视为畏途了。

（3）注意集中在工作上：害怕的时候，不能工作；工作的时候，不能害怕。这就是所谓“心无二用”的意思。大凡对于作战有经验的士兵，都有一种共同的经验：他们不愿呆在后方备战，情愿在火线上工作，因为作战的时候，情绪紧张，精神、力量向工作集中，丝毫没有余暇的时间去思索，也没有时间去惧怕。在后方，闲着不免胡思乱想，便不同了。又如：初次登台讲演的人，因为自己成为台下听众的注意焦点，免不得惊慌，但若把注意集中在自己要讲的话和动作上，不顾虑到听众，惧怕的心理就减低，甚至消灭了。

（4）再度交替或反替：如果已经交替上对于某种事物之惧怕的情绪，那还可以用再交替或反交替的方法，把那惧怕消灭。从前瓦特生曾做过一个实验。他把兔子和大声联在一起，使一个婴孩因为怕大声而交替成也怕兔子。其后，他用再交替的方法，再把对于兔子的惧怕消灭掉，方法是把兔子和别的小孩的亲昵的样子联在一起，并且逐渐接近这婴孩，久而久之，他也就不怕兔子了。又如，收拾尸体的工人，他不怕死尸的心理虽然因为司空见惯或忙于工作或其他原因，但是主要的，大概每次收拾完毕，有工钱、赏钱可拿，快乐之心胜过恐惧之心，也可以说是再交替的原因。

（5）避免惧怕的刺激：惧怕最初总是由外界的刺激所引起，所以若少与惧怕的刺激接近，也大可以减少害怕的机会。怕鬼的人，少听人谈鬼，不半夜到坟墓旁边去散步，少看死人，那害怕的机会就可减少了。

九　愤怒与人生

克鲁斯（L.Cross）说："愤怒与惧怕似乎是两种绝对相反的情绪，实际却是同一反应的两部分——人体于遇到危险或受挫时所发出的正常反应。"

真的，任何一种动物，当它遇到危险的时候，它常常不外乎用两种反应来保卫自己：或者是逃之夭夭，这便是一种惧怕的情绪；或者是挺身而斗，这便是一种愤怒的情绪。这两种情绪发生时的身体变化是差不多的，如心跳加速、瞳孔张大、肌肉充血、消化停止、面部惨白等等。不过在人类面部表情上，这两种情绪是微有差异的，当发怒的时候，常常把眉毛皱着，甚至竖起来，这大概是为了保护眼睛的关系。

人类发怒的原因很多，最大的就是生存或自由受了阻碍，你如果把小孩子吃的东西抢过来，或者把小孩子的头擒住，那他就立刻怒目相向。其次，嫉妒和不平也往往足以引起愤怒，嫉妒是一个人的优越感受了损伤；不平则是正义感产生的导因。总之，愤怒可以说是身体或精神受了压制或危险时自然发生的一种保卫性的情绪反应。

愤怒对于身体，和惧怕一样是一种不良的情绪，据美国凯能教授的实验，证明愤怒对于消化系统可以起一种阻遏与停滞的作用。他以猫作为实验的对象，方法是：使猫享受一顿好餐，餐内含有不通 X 光的物质，猫在桌上，照以 X 光，使其胃在 X 光片上留有明晰可见的影子。猫正在消化，由 X 光的影可见其胃壁正作有节奏的运动。那时引进一条狗来，对猫大吠，猫即表示愤怒，其胃壁消化的运动，即行停止，小肠的运动，亦随之暂停，胃液也不复分泌。直至狗去了十五分钟之后，才渐渐恢复其运动。由此可以知道：许多消化不良的疾病，是与愤怒的情绪有着或多或少的关系的。又据美国生理学家汉梅特（Hamm.tt）的实验，更证明愤怒可以危及生命，在愤怒的时候，身体上有一种毒素分泌出来，可以破坏“附甲状腺”（附甲状腺位于喉头两旁，与甲状腺相连）。这个腺与生命的维持极有关系。汉氏以白鼠为实验的对象，分白鼠为两组，每组均割去其附甲状腺，然后一组设法使其发怒，一组则保持其温和的常态，次日，发怒组死去百分之七十六，而温和组则只死去百分之十三。愤怒对于寿命维持上的影响若何，由此可以想见了。

愤怒虽然对于动物的健康及生命上有如此不良的影响，但这却并不是说，愤怒在人生上完全是不必要的东西，如果一个人被人家压迫了，反而安之若素；一个民族被人家侵略了，反而委曲求和，这种个人或民族，当然只有走到灭亡的境地为止。因为现在的世界，仍然是一个生存竞争的世界，而不是一个大同互助的世界啊！

愤怒在生存上既然还是必要的，那我们就要善于利用它才行。如何来利用它呢？一句话可以概括：就是要有“理智化”。粗暴的愤怒，不但于事无补反而会坏事，所以孔子说：“暴虎冯河，匹夫之勇也。”这是我们要警戒的。其次，古人说：“不迁怒，不贰过。”迁怒也是不好的，比如明明在外面受了别人的欺侮，却回来以打骂妻子儿女出气，“睡不着，怨床歪”，实在是要不得的。

我们生在这个容易发怒的世界里，为了自己的健康，为了对人类的贡献，凡是可怒的事情，就要大胆的去怒，这怒便是一种勇敢或正义。不过，如何把这愤怒的情绪作为一种正确行动的动力，有目标、有计划、有做法的来加以利用，乃是必须考虑周到的。“武王一怒而安天下”，绝不是大发脾气、打碎桌子板凳可以做到的。总理孙中山先生对于满清统治的愤怒，也不是用一味生气的方法就可以把清朝推翻的。小而言之，如果你生气自己的功课不好，也不是一味嫉妒、狂叫、顿足、捶胸，所可以奏效的。

愤怒有时是必要的，不过你要善于用它。

一〇　心理变态的几种征象

心理上不健康的现象，普通叫做“心理变态”。乃是表示与常态不同的意思。不过常态与变态我们还不容易明白的确定它，大概说来，我们在生活的时候，如果主观的反应能圆满妥善的处理客观的刺激，这便是常态；反之，刺激和反应发生冲突以致不能解决，或解决而不是正常的，这便是变态。

心理所以发生变态的原因很多，其中最多见的，乃是消极的惧怕，意外的失败，以及冲突的压抑。尤其在这抗战的时期，更容易促成这些事实的发生。比如怕警报、怕轰炸、怕亲友死亡、怕生活高涨，升学的失败、就业的失败、经济的失败、社交的失败、恋爱的失败，以及公与私的冲突、刻苦与享乐的冲突……等等，这些无法应付的惧怕、失败及冲突，只是深埋在自己的内心，压抑复压抑，于是一个人渐渐心理上就有一种不健康的表现。其轻微者，则苟安偷生，文过饰非；其重大者，则变为疯狂。重要的有以下种种：

一、幻想：对于环境的若干刺激或问题，无法应付，以至很感苦痛时，常常设法逃避，以求苟且了事。

二、补偿作用：许多人因为自己在某方面有缺陷，或者由于环境的阻碍，不能求得满足，于是从别方面设法取得补偿。比如许多没落了的军阀、官僚，平时得不到满足，一旦日本人来了，为了私欲的补偿，便不惜充当汉奸。

三、理由化：就是捏造理由诿过于人而原谅自己的意思。自己对于一件事，不能努力去求成功，或失败后不能反省自己失败的原因，只是说别人不对不好，就是这种心理的表现。许多学生考试的成绩不好，不去反省自己，反怨教师不好或同学不帮忙，就是一例。

四、酸葡萄哲学：做事不估计有无可能性，也不讲求方法，等到明明是失败了，却不承认失败，像“伊索寓言”里所说的那吃不到葡萄的狐狸一样。许多青年恋爱，不问有没有可能性，只一味蛮干，等到失败了，并不反省自己的不对，却大骂对方而表示自己的高贵。

五、甜柠檬主义：明知自己不如人，却用聊以自慰的态度来骗骗自己。比如，考试的成绩不好，却说我只要六十分就满足了。

六、神经衰弱：这种病态大多表现为精神不稳定，容易怀疑，就是所谓神经过敏，比如，写了一封信刚要发出，忽而又不放心起来，再拆开看看。有时常常怀疑自己有病，只要有一点小激就容易疲劳或失眠。

七、早期衰弱：这是青年期特有的病态，患这种（病）的人，从外表常常看不出什么来，但其内心的生活尤其是情绪方面，非常迟钝麻木，因而他所表现的是呆板、萎靡、心智混乱、常有妄想等等状态。有时也可稍好一点，但不久就又发作，最后则达到心能永久的退化、衰弱。这种病多由于遗传，也有的是因种种逆境与痛苦造成的。

八、歇斯得里：也叫做神经错乱症，患这种病的，每每感情特别兴奋而不能自制，有时哭了，有时笑了，有时装着有病，有时妄自夸大。甚至在睡眠的时候，身体某部忽然动作起来，平时的筋骨亦常发生痉挛现象。

这种病人，因为非常冲动，所以极容易受暗示或激动而做出犯罪的行为来。

九、燥郁狂：平时我们有什么可喜的事就觉得高兴，有什么不快的事，就有点颓丧，这本不足为奇的，但却有两种极端的人：一种是为了一点小事就容易兴奋而热烈起来，过了些时才恢复原状，这可说是燥狂。另外还有一种人，非常沉郁，看来好像是毫无感情，自己觉得自己非常渺小，思想行动都很迟缓，这可说是郁狂。这两种病都是使人们容易失败的。

十、癫痫症：这种病一大半是发现于青年期。是属于疯狂一类的疾病，犯病的时候，常常忽然失去意识、全身紧张、口吐白沫、动作痉挛，看起来是非常冲激而痛苦的样子。有时在发病时，可以狂奔、可以狂笑、可以打人，嘴里还讲一些不伦不类的话。病过去了，意识逐渐恢复，显得是很疲劳的样子。最重的可以昏迷过去。关于这种病的原因，学者们解说不一，大多说是脑子里受伤或不健全所致，但还不能视为定论。

以上这些心理变态，有的很轻，有的很重，不论如何，对个人、对社会，都是有害的。这种变态，大多是由于心理的原因，也有些是由于生理的原因（如遗传）。如果由于生理的原因，就应该早些请医生诊治。如果是属于心理的，那积极方面，应该多多的注意心理健康。万一发生心理变态，那也应该多多修养自己，或者向心理诊疗的机关请求防治。

一一　谈谈神经衰弱

神经衰弱是心理疾病之一，不是器官性的疾病，所以医生在检查一个病人之后，如若找不出什么生理上的症候，而又不能不承认病人是有病时，便说："你没有什么病，只是神经衰弱而已。"许多青年以及知识分子，如果感觉自己有些心理异常的时候，也常常自己承认神经衰弱，神经衰弱似乎成了一个极普通的名词，可以无限制的应用，但它究竟是一种什么病，大家常不能有一种确定的观念。

神经衰弱症（Neurasthenia）一词，流行至今亦不过二三十年，它的症状极其复杂，普通可视为与此症有关的病象是：

（1）头痛头昏：患者常有一种窒塞胀闷的感觉，尤其在碰到困难或精神苦痛的时候，更加激剧。

（2）耳鸣目眩：患者常会觉得耳中忽然嗡嗡之声，或者忽然觉得眼前一阵昏黑。

（3）记忆不良：患者常有过度思虑的现象，以致对于日常事物的处理，往往有“搁东忘西”的样子。

（4）食欲不振：常常感觉胃胀和嗳气不顺，因此消化不好，食欲减退。

（5）便秘腹泻：与食欲不振关连之症状，为常有便秘或腹泻发生。

（6）遗精阳萎：如遗精、早泄、多尿、性交疼痛、阴道痉挛及性欲冷淡等。

（7）失眠：失眠种类甚多，或不易入睡，或睡时易惊，或为多梦，或为早醒而不易再睡等等。

（8）疲劳与冲动：常有四肢无力、全身酸软的现象，但有时却又极端的冲动，不似常人的稳定。

（9）心跳及呼吸困难：常有心跳、心悸、心前区疼痛等症状，呼吸方面，亦常有困难之感，比常人容易感冒。

（10）过敏感觉：常常觉得环境里好像有什么特别事故，或自己有什么病征，对于身体上一些细微的变化，

都起一种敏感

（11）强迫观念及行为：有一些无谓的顾忌或忌讳，在心中作祟，比如对于某种事物或数目的避忌等是。

以上所举各种症状，并非说有某一种症状，即可断定为神经衰弱症，而是说，这些症状常常是神经衰弱症的指标。一有上述病征发生，便会有感患神经衰弱的可能。比如，失眠、健忘，不一定就是神经衰弱，但神经衰弱者确常常会有失眠健忘的现象。这是我们应该分别清楚的。

其次，上述各种症状的发生，也不一定只有神经衰弱症才有，和神经衰弱差不多的神经官能病还很多，比如，由忧虑而来的“焦急状态（Anxiety state）”，因为对于切身问题的焦虑、忧郁，可以引起心跳、气喘、手足颤动、不安、失眠等症状，小者二三分钟，多者一两小时，病过后仍能照常工作。又如由遗传而来的“神经过敏”，对于一切事物的反应，都是紧张的、怀疑的，以致产生失眠、便秘、消瘦等现象。再如所谓自疑病（Hypochondriasis），患者大多因为自小娇生惯养之故，及成人之后，仍旧对于自身过分关心，常常自己怀疑身体上有什么疾病，或感到别人对他过于冷淡或有什么不利。还有一种所谓“强迫观念”与“强迫行为”的病症，也与神经衰弱相似，例如对于“十三”之特别忌讳，或对于兔蛇之避忌等等，而自己对于自己却无法恢复其自信心与自制力。这些神经性的官能病，与神经衰弱极为相似，但我们却不能说这就是神经衰弱。

大概凡患神经衰弱者，其身体组织上如无若何变化，除主观上的感触之外，生理上并无何种反常状态。并且患者在未发生神经衰弱之前，大抵有一时期患有神经过敏、精神紧张、不安、失眠等症，以后才渐次发生神经衰弱的各种病象。所以大体上可以说，神经衰弱是焦急状态、神经过敏、自疑病等心理病的后果，而不是前因。

神经衰弱的病状既明，我们可以进一步说明其病因。关于神经衰弱的病因，世俗有种种误解，有人说，神经衰弱是由于手淫或手淫过度。其实，“食色性也”，青年用手淫发泄性欲，也和吃饭一样，没有什么稀奇，手淫过度最多也和饮食过量一样，绝不会变成什么神经衰弱。也有人说，神经衰弱是由于用脑过度，这话也很不通，世界上用脑的人很多，科学家、发明家，苦思冥索，也并未个个都患神经衰弱。更有人说是由于传染病与身体中毒，但身体无病的人，却也可以患神经衰弱。由此可见，神经衰弱与手淫、用脑过度等，并无若何因果关系。那么，神经衰弱的病因，究竟是什么呢？

神经衰弱之真正病因，可以说是由情绪的反应。例如，患手淫者，绝少于好手淫时发生神经衰弱，大半于发现“手淫一次等于失血三百 CC”，或“因手淫可致遗精、肾亏、神经衰弱”等学说后，方有病征。这完全是一种过分恐惧的情绪所致。加拿大一医师 Ieaumont 氏曾研究胃穿破之 Martin 氏，当 Martin 氏快乐时，食后胃即充血，蠕动增快、分泌增多；悲伤时则反之。由此可知胃之消化作用与当时之情绪有密切关系，所以常人于伤感时，不思饮食，若强而食之，则有消化不良之现象。生理学家凯能氏亦有同样之观察，且可用动物作试验，指出情绪有冲动时，生理有各种改变。又如医学生初次旁观外科医师施手术时，由惧怕心理可致脑中枢暂时贫血而晕倒。当吾人在严重之情绪冲动时，则发生食欲减低、睡眠不安、失眠、头痛、烦躁、注意涣散等现象。凡此种种，亦为神经衰弱之主症。在正常人则事过境迁，一切情形稍过即忘，然在患神经衰弱者，则持久不消，甚或逐渐加重加多。症状之所以不消者，或为下列各原因所致：

（一）症状于己有利，潜意识中或意识中不愿放弃。如因工作受伤，重者可得终身抚恤，潜意识中常有不愿放弃症状之趋势。如妻妾争宠，则常发生头痛、抽风、肝气上升，若侥幸得丈夫之关心者，自不愿放弃其症状。

（二）对于症状常存过分之恐惧。如畏羞者见人时，心跳增速，因此惧有心病，延医检查，检查结果，发见心尖区有收缩期杂音（未必尽属病理）时，告以心脏微弱，不宜过分活动，斯时患者之恐惧心增强，不敢活动，一动即感惧怕，因怕而心跳增速益显，形成恶性循环。患失眠者常于晚间七八时即登床榻，急思入睡，甚或用数数方法，以强遏思潮，而其结果则思潮愈多愈乱，欲求入眠之心愈急，于是心起恐怖，睡魔愈不来临，因之亦成恶性循环。

（三）一种替代反射。例如某患者于十五六岁时，性知识欠缺，对于遏止性欲之冲动，发生困难，因曾传闻肉食增加性欲，故不敢食肉。久之形成替代反射，食肉即感头痛，不知头痛非因食肉而起，实因惧怕食肉后性欲加强，无法遏止耳。

（四）环境不顺。对外失望，兴趣内向，集中于个人之身体，则一切症状，益形明显，恐惧增加，兴趣更行内向，形成恶性循环。

总之，各种情绪之冲动，如经济方面、恋爱方面、婚姻方面、思想方面等等，皆可为精神衰弱之原因。若症状发生后，治疗失当，恐惧与焦虑增加，原起之情绪冲动，虽已消失，但因焦虑疾病之来临，则中病深矣。

关于神经衰弱之治疗方法，因患者大多不明病因，以致庸医乘机牟利，市上有所谓赐保命、维他赐保命、安福赐保命、育肾丸、艾罗补脑汁等制剂者，皆利用一般人之无知以投机而已。实则此等药剂与治疗神经衰弱无关，纵或服某药稍见痊愈，亦大多由于暗示的心理治疗，而非某物之效力。关于本病之正当疗法，兹介绍程玉麟博士之意见如下，以供参考：

（一）使患者一方面详细叙述或记载一切症状，发生之年月与经过；另一方面使病人回忆同时期内精神上所受之刺激、烦恼、苦闷等；两相对照，或可发见心理之改变与身体上痛苦之关系。此种关系，患者本人或难见到，必须第二者之相助。

（二）使患者明了身体上之症状，不必由器官之损坏而起，可由精神之刺激而生。斯时需按患者知识之高低，用各种譬喻方法，使其了解，如害羞时之脸红，气急时之手颤、怒发冲冠，忧郁时之消化不良，惧怕时之手足瘫软，或有排尿粪意等。原因既明，症状自行消灭。

（三）使患者学习立时设法解决诱起精神上痛苦之问题。一切烦恼问题之所以足致烦恼与痛苦者，大半由于不能立刻解决。学生于考试前常觉心慌，然一见试题，不论能答与否，心慌之情形立刻消失。罪犯在未判刑时，心理上异常不安，一旦罪名与刑罚确定，则心中不安之情境亦随之消失矣。使精神安愉最可靠之方法，为遇困难事时，面向事实，不思规避，抱冒险进取之精神，立刻设法解决。问题解决后，则脑中清楚，思想整齐，有充分之准备，可以解决继起之困难问题。设今日有难题，不思解决，明日有难题，又不解决，愈积愈多，耿耿于心，精神上之痛苦增加，实为造成神经衰弱之绝好办法。

（四）使患者对于多种事物发生兴趣。兴趣之多寡与精神之愉快成正比，兴趣愈多者，精神愈感愉快。如甲方发生精神苦恼之问题，乙方与丙方同时或先后发生使精神愉快之事实，借此可以减轻甲方所诱起之苦恼。反之，兴趣单调，则精神生活无从调剂，日久以后，总感苦闷。设令一人，每日每餐，食同样之菜蔬，烹调方法始终如一，则一星期后，不发生食欲减退者，能有几人。精神生活亦然。由此观之，欲求精神之愉快，务必培养多种兴趣。普通人对于培养多面之兴趣，从不加注意，公余之暇不知如何消遣，偶或有之，亦不过用打牌、听戏方法，以消磨时光，或借以待客。对于阅读事，亦不知注意，除阅报纸及与本人职业有关之文字外，阅读多种其他杂志者，能有几人。其他如骑射、登山、涉水、拍球等运动，或养鱼、养鸟、种花、弄弦或其他音乐等消遣方法，又有几人，莫怪我人对于精神生活之感枯燥也。

一二　谈谈歇斯得里

歇斯得里（Hysteria）是一种较严重的神经官能病，这种病的译名很多，如：迷狂症、害思症、神经错乱症等等。但歇斯得里一词，业已行之很久，大家都很耳熟，所以我们仍旧采用这个名词。

歇斯得里一词，在医学史上是由希腊字“子宫”而来的，古代医学者以为子宫是居于女性的骨盆内之一种独立的特殊的东西，它可以在胸部与腹部自由活动。由于这种传统的看法，因而后来医学上认为许多疯狂或精神病，都是由于这个器官发挥不适当的功能所致，而且这种病症是专限于女性的。但在上次世界大战中常常发现男子有一种歇斯得里性的弹震病（Shellshock），于是若干精神病学家才放弃了传统的女性子宫作祟的观念。

这种病的症状不一，有的很轻微，有的则非常严重，所以它是有程度上深浅的差别的。最轻的表现为麻痹，最重的则是人格破裂，兹略举如下：

（1）麻痹：比如说一只手的麻痹。所谓麻痹，就是失去知觉，知觉有三个必要条件：第一个条件是器官没有毛病，能够感受外来的刺激；第二个条件是知觉神经没有毛病，能够把刺激传到脑里去；第三个条件是知觉中枢没有毛病，能够感受这个刺激而发生知觉。在患歇斯得里症时，这三个知觉的要件尽管如常，而麻痹的现象却仍不免。歇斯得里的麻痹是最奇怪的，比如手麻痹时，麻痹的部分恰到手腕为止，手腕以上仍照旧可以感受知觉。有时这种麻痹还可以用催眠由左手移到右手，或者把它完全消去。从此可知它并非起于器官的损伤而纯由心理作用。

（2）瘫痪：麻痹是失去知觉的能力，瘫痪是失去运动的能力。不能知觉的器官有时可以运动，不能运动的器官大半同时不能知觉，所以瘫痪比麻痹算是更深一层。不过就歇斯得里症说，瘫痪的道理和麻痹是相同的，它们同是情感受激烈撼动的结果。有一个军官在战场上弯腰去拾敌人所掷来的炸弹，手没有伸到，炸弹就爆发了。他幸而没有受伤，不过当时把口张得很大（这自然是恐惧的反应），张开之后，就不能把它闭起，舌头也缩不转去。过了几点钟，舌头虽然逐渐缩回去，口虽然闭起，可是他完全变成一个哑子。这就是由于舌头瘫痪的原故。歇斯得里性的瘫痪也不一定有器官上的欠缺，患瘫痪的人大半心里有一种固结的观念，自信某部分已失去运动的能力，如果医生能把他的固结的观念打破，瘫痪也自然消灭。

（3）遗忘：麻痹和瘫痪都是一种遗忘。本来有知觉的能力，把它遗忘了，于是有麻痹；本来有运动的能力，把它遗忘了，于是有瘫痪。但是麻痹、瘫痪，都只是局部的遗忘，有时病人把过去几十年的生活状况都遗忘了，这也大半是情感受过激烈的撼动的结果。在欧洲大战中，兵士因恐惧过度而得弹震病的尝呈这种现象。麦独孤（Mcdougall）曾经诊过一个患弹震病的兵士，看见他的举止动静一如常人，和他谈话，他的应对也很有条理，只是问他自己过去的生活，他完全不知道。他是什么地方人，从前在什么营里当兵，他自己叫什么名字，他都忘了。有一天，病院里来些热带地方的伤兵，他看见那些伤兵所戴的热带地方的帽子，就猛然兴奋起来，立刻去找医生到热带伤兵的房子里去看那些帽子，医生就猜着他是在印度当过兵的，就把自己记得起的英国驻印度军队的名称写给他看。他看得很有趣味似的，瞬息之间，他恍然大悟，把所遗忘的经验，通记起来了，津津有味的向医生从头谈到尾，他所看见的热带地方的帽子好比一条导火线，把他前半生的记忆都燃着了。

（4）痉挛：麻痹、瘫痪、遗忘，都是消极的病态，但是歇斯得里的患者又尝时现突如其来的平时所不经见的动作，这种积极的病态，通常叫做“痉挛”。从表面看来，痉挛虽似和瘫痪相反，其实成因是相同的。某种运动的能力从主意识分裂开来之后，在潜意识中固结起来。主意识上台时，该运动就不能发生，于是有瘫痪；潜意识上台时，该运动不受意识的支配，便不断的发生，于是有痉挛。痉挛也大半是情感受激烈的撼动的结果。耶勒诊过一个十六岁的女子，在病发作时，尝将右腕翻来覆去，将右足时时提起放下。这种痉挛动作是怎样得来的呢？原来她的家庭极穷，有一天，听见父母诉苦，很受感动，因而得了歇斯得里症，在病中尝叫“我要做工”！她的职业是做傀儡眼，做这种工作时，她须用右手翻转机器的轮子，用右足踏机器的踏板。她病中的痉挛动作，就是她做工时的动作在潜意识发生。这种动作不受意识作用的支配，往往动非其境，动非其时，所以从旁人看来，非常奇怪而不可解。

（5）梦游：歇斯得里之最普通的征候是梦游。梦游也有深浅程度的差别，深的同时兼有麻痹、瘫痪、遗忘及痉挛各症。梦游者所发的动作是千篇一律的，比如这次发病时他抱枕头上屋顶，下次发病时他也还是玩这一套老把戏。平时所有记忆和知觉与梦游无关者，在梦游中都失其作用；反之，梦游醒后，梦游中的动作和见闻就一齐被遗忘，平时的记忆和知觉又恢复原状，平时所不能发生的动作，在梦中可以发出，平时已失其作用的器官，在梦游中也可以作用起来。双腿都患瘫痪的人，在梦游中往往比平时跑得更灵速。这些事实都可以证明：梦游中的意识和其前后的意识是不相联贯的。梦游中的动作，大半是复演过去的一段悲痛的不愿回忆的情景。最著名的例子是莎士比亚戏剧中的马克伯夫人，她唆使丈夫杀了在她家作客的国王之后，夜间在梦里爬起来做洗手的动作，因为她想把血洗净、把罪戾摆开。梦游的动作有时是象征的，马克伯夫人洗手姿势也是一个好例。

（6）两重或多重的人格：两重人格就是一个人在平时是一个人格，到发病时另是一个人格；多重人格不过是同一个人的身上出现多种不同的人格罢了。据耶勒所诊治的一个叫做鲁（Rou）的，即其一例。鲁家里很穷，母亲曾患过精神病，他自己也不很健全。平时他在一家小店里做粗工，附近有一家水手常去的酒店，他也尝时去光顾。他尝和水手们在一块吃酒，醉后水手们爱讲非洲的人情风俗，鲁听见觉得很有趣；但是这是醉时的高兴，醒后他还是做他的粗工，决不曾起过游非洲的野心。有一次，他在精神衰弱中，猛然离家逃到海边，想乘船到非洲去，他没有川资，只得在船上当苦力，他虽然很受虐待，但是心里想到不久可以到非洲，还很怡然自得。不幸得很，他的船须在中途停止，他于是打陆路走，他没有饭吃，所以跟着一个补碗匠做徒弟，东西奔走了几个月。有一天逢八月十五日，他的师傅提议吃酒，他猛然一惊，想起来那是他母亲的生日，这一惊就把他惊醒了。他张开眼睛一看，看见他朝夕所看守着的杂货店不在那里，四围的人物也都漠不相识。补碗匠说他是他的徒弟，他绝对不相信，他把几个月做船工和补碗的经验一齐忘记了。

以上已经把歇斯得里的症状，大略的加以引述，现在我们要问：歇斯得里症究竟是由于什么原因而来的呢？这在各家的说法，颇不一致。比如，有人说歇斯得里是和催眠同一个道理；有人说由于并存意识；也有人说由于心力综合力的缺乏或分裂等等。但现在用以解释此病的大都还是采用弗洛德的潜意识理论。弗氏以为每个歇斯得里病患者都是由于幼年所受某种“性损伤”的潜意识记忆而造成的。这性损伤也许是身体的，也许是精神的，但是每个病人，在他成年思想的意识中，已经把它忘掉。换句话说，这种记忆已被禁闭在过去的深渊，无从越过意识的门槛。正确的鲜明的记忆，既不能从深渊出现，就只好改变、歪曲、直至达到一种象征的形式。这时真实的记忆已被完全伪装起来，无法辨认其本来面目，因此产生遗忘及人格分裂等现象。弗氏觉得病人越隐讳或否认其幼年的记忆，那就越能断定这是一个致病的因子。

记忆是什么？现在我们还不能说得清楚，不过我们知道，它是一种心理的历程，在人类的生命当中，某件事情重复发生的次数越多，个体对于那事的记忆越深。人在婴儿时期和很早的幼儿时期，一切生活需要，都有人给他准备好，有人给他穿衣，喂他，使他和暖，保护他，使他不受危险的侵害。他的生活完全是吸取的，内倾的，不负任何责任的。每个儿童都经过这个婴儿期，所以，经过了几百万次同样经验的重复以后，对于婴儿期，人类保留着一种很强的记忆。他们所以能够推开责任，是因为总有人情愿替他负担。

当然，没有一个不疯不癫的成年人，有意识的愿意重演不负责任的婴儿时期的习惯。但这种愿望却可以存于潜意识中，它决不会超过意识的门槛而成为鲜明的愿望，它们可以以象征的病征的方式而表现出歪曲的愿望的实践。如前所述，歇斯得里虽然类别很多，轻重不同，但实际上它是包括了人类所感遇的一切痛苦的病征，这些苦痛的病征当凝为不可解救的情结而与正常的记忆及人格脱离或分裂时，便是这种病患产生的契机与根源。

最后，我们要谈到这种病患的防治，以下的意见，可资参考：

（1）每个人应面向着困难，迎接它、克服它、解决它——没有一个人愿意患歇斯得里，除非他有了这病能够避免成人生活的责任。下肢完全麻痹的许多病人，需要在床上度过一生，可以充分证明这句话的真确性。常常的，一个女子因为畏缩成人期的辛苦艰难，就躺到床上去，并且在床上度过好几年，往往这样终其余年。这种行为使她免除了成年女子的责任，她不必去烹调、洗涤、理家，人家也不期望她去结婚、生育或抚养小孩。

（2）不要鼓励别人的依赖性——社会上所有的人，都需要食物、房屋、衣服和其他所谓生活的必需品，如果他们因为患歇斯得里的原故，不能够靠自己的能力获得这些时，必定有正常的人来供给他，除非有这样一个情愿负担责任、能够负担责任的人，精神病患者是不会发“失去能力的病征”的。因为不然的话，他这样的就要受极大的痛苦，甚或困累而死。因为这个原故，我们常常发现每个歇斯得里病患者的背后，总有一个十分爱他的亲属，这亲属为照护病人而做一切必要的牺牲。亲属们的这种行为是由狂热到极端的爱激起的，他们这种行为无法制止，往往就是不能治好病人的主要原因之一。

（3）对于歇斯得里病患者鼓励他独立生活——如果查明果然是歇斯得里的话，可以使病人脱离家庭与四邻，把他安顿在一个绝对陌生的环境当中，迫使他绝对依赖自己以维持生活，这就是使他痊愈。这种办法，不过是用强力使病人脱离婴儿期而负担起一个独立的成人的生活罢了。

（4）家庭中做父母的所应特别注意者——做父母的人应及早使小孩做一个负责的分子。事实上，也许他要过许多年后，才能在经济上自给，但是在年岁很小的时候，就可以训练他来照应自己，并且负担一部分家中的工作。应该使他铭记在心：他越自做大孩子，他的父母越发喜欢他，他从他一生的种种活动当中所得到的满足也将越多。不论一个人多么年青，都有一种潜意识的欲望，想发展他的个性，对于这种个性的发展，应该在儿童刚懂事时早早受到鼓励。这种尽可能的早日脱离婴儿的无能时期，不断碰到与克服各种困难的儿童，就不容易在成年生活中变成一个歇斯得里病患者。把大多数歇斯得里病患者的家庭历史仔细研究一下，我们会发现都是因为他们在儿童时代受了错误的训练。

一三　心理健康要则

心理不健康的人，不但苦了自己，同时也害及社会，所以现代心理学和医学上对于心理健康，也和对于生理健康一样的加以注意。

怎样才算心理健康呢？现在先举几个标准来：

一、符合年龄符合常态：就一个青年来说吧，青年应该有青年的气概，他纯洁而活泼，乐观而积极，他既不是少年老成，他也不是孤僻忧郁。不过这也只是一个大概的说法，因为所谓“常态”，只是指明一个倾向，却不是要求平庸，要求划一。

二、理智感情互助协调：平常我们说“理智是没有胆的，感情是没有眼的”，这话的意思，就是说明理智与感情必须协调。专凭感情冲动，固很危险，但感情冷僵，一味从利害上去打算，其危险亦正相同。一个心理健康的青年，应该是善用他的理智来驾驭他的情感，以他的热情来实现他的理智。

三、认识现实把握现实：一个心理健康的人，他有勇气面对现实、迎接现实、解决现实。他不悲观、不逃避、不歪曲。世上很多人，不能对准现实去奋斗，于是消极、自杀、自欺、颓废，以至做出种种变态的行为来。青年是有朝气的，这所谓朝气，就是指他能认识与把握现实的问题，而不是专为享乐的世故老人。

四、尊重自己尊重他人：每一个人应有自尊心，就是要珍视自己的人格，不去做那些蝇营狗苟的勾当。同时，还应该能虚心，就是尊重别人的意思与自由，不顽固，不拘于一己的成见。但所谓“尊重自己”，并不是夜郎自大；所谓“尊重别人”，也不是同流合污。

五、言行一致心身统一：一个心理健康的人，他必然的是一个言行一致的人，他不欺人，也不自欺，他不带假面具，也不用有色的眼镜去看人。他的人格是统一的，不是二重或多重的。他所想的、说的与所要做的，是一致的，他坦白而率真，诚挚而坚定。

要想达到这些标准，大半是赖于平时对于心理上的注意与锻炼。以下的要点，可以供你参考：

一、健全的身体：西人说："健全的精神寓于健全的身体。"这是讲求心理卫生的起码条件。健全的身体，要从两方面来注意：一是良好的遗传，比如因神经系统的缺陷而形成的低能，就是一例。另一是体格的锻炼，比如一个身体衰颓的人容易动怒或变成神经衰弱，就是一例。

二、自我的了解：一个人要有自知之明，知道自己的身世，自己的长短，这犹之乎一个人要知道自己的身长、体重、脉搏、肺量等是一样的。我们应该常常检查自己的体格来增进身体的健康，同样，我们也应该常常检查自己的行为来增进健康。

三、规律的生活：依据时代与社会发展的规律，来规定自己之现实的任务：将现实的任务，在自己的实践生活中体现出来。良好的实践生活就是有规律的生活，所谓规律的生活，就是对于工作与休闲，有适宜的支配，工作的时候，辛勤工作；休闲的时候，愉快的休闲。这样，心理自然会健康起来。

四、环境的选择：良好的环境可以供给良好的刺激，良好的刺激可以引起良好的反应，良好的反应可以积为良好的习惯，良好的习惯乃可积为良好的人格。因此，接近良师益友，接近有益的书报，是心理卫生上极重要的法则。不正确不进步的人物对于一个人的行为，犹之乎病菌对于一个人的身体，是一样的危险。

五、正确的认识：一个人能否控制自己，就看他有没有正确的人生观与社会观，有了正确的人生观与社会观，他自然不会苦闷，他了解社会进化的规律，他会冷静的分析当前的形势，以及他在这种形势下努力的方向。教育青年的人，一味鼓荡青年的热情是不对的，但一味注重教条的训诫，也只是徒增青年的苦恼与反感而已。

六、冲突的解除：心理的不健康，大都由于主观的要求和客观的限制发生冲突而起，比如青年的性爱问题，就是最显著的事例。一个人的心理如果停在冲突上，小则苦闷不安，大则可以发疯，所以必须设法解除。解除的方法应该是常态的而不是变态的。比如恋爱问题，一味采取禁欲主义，当然不对；但把恋爱孤立的看成至上的东西，则一旦失恋就容易发生心理的变态也不对。

常态的恋爱应该以思想与事业为基础，纵然恋爱不成，仍可把精力贯注在学问和事业上。

七、困难的克服：一个人如果只图过着安逸的生活，不去接触困难的事实与问题，这犹之乎藏在温室里的花草一样，一见风霜，只有衰萎。因此，我们要多参加现实的生活，多思考现实的问题，从困难与问题中来锻炼自己，才能使自己坚强不屈，才能应付意外的事变与打击。

八、集体的参与：孤独极容易使人心理不健康，古人说“君子慎独”，多少含有这种意思。孤独的人和社会隔离，和朋友疏远，一方面他会陷于所谓“孤陋寡闻”，一方面他会陷于“束身自好”，总之，这种人不是现时代所需要的。

九、社会的改造：心理卫生不是单纯的主观修养的工夫，而是要从主观与客观的统一上来进行的。我们一味劝青年学好，劝青年不要苦闷，而不把那些使青年苦闷的因素设法排除，是不会生效的。青年自身也应该认识自己苦闷之社会的原因，并要设法改造那些原因，一味苦闷，也是不对。

十、对人的同情：心理的变态，一方面当然是由于不能把握自己、把握环境，而使行为有正当的出路所致。但环境中过分的讥嘲与打击，也是重要的原因。我们对于一个人的错误，应该用同情的态度，技巧的方法，去纠正他。切不可用冷讥热嘲的态度，去讽刺他。至于利用权威的压制，那也许会有一时的效力，但最后那权力不但会消失，而且会得出相反的结果来。这在历史上，是屡见不鲜的。

一四　论延年益寿之道

“衰老”与“死亡”，在今天还是人类的一种不可避免的厄运。但由于科学发展的结果，人们对于死亡虽然还没有办法挽救，但已经有办法向衰老进攻而求获得较高的寿命了。在过去一世纪中，人类平均的寿命已延长了二十年，但这大半是因为婴儿及儿童死亡率降低的关系；至于三十五岁以上的人的寿命，还没有显著的增加，而五十到七十岁之间的生存可能，更无何种改善，死神总是毫不容情的向人们进攻，难道人们就不能用科学的武器起来和它抗争吗?

中国人一般的寿命若何，因无精确的统计，还不能随便断定。据有些人的臆测，平均是三十岁左右，这个数字太可怕了。为了社会，为了自己，生命都是极可贵的东西，因为生命自身只有一次出现在世界舞台上，虽然可以用传种的方法来延续自己的生命，但“出师未捷身先死”，又怎能不“常使英雄泪满襟”呢！

大家都知道，秦皇、汉武都曾为了这个问题费尽心机，但因为当时科学水准的限制，终于没有什么获得，实是憾事。可是在科学成果积累较多的现在，我们已经可能的把秦皇汉武所未实现的梦想，来实现几分之几了。

据科学家的考察，一个人可能的正常的寿命，总比现在我们实际的寿命要长些。在过去、在现在，活大寿的人们，很多很多。在历史上，我们知道，英国格拉斯哥主教管辖区的建立者干替爵（Kentigern）曾享到一百八十五岁的高寿。匈牙利的约翰·诺伏（John Rovel）同他的妻子沙娜（Sarah）过了一百四十七年的婚后同居生活，约翰活到一百七十二岁，他的妻子则享寿一百六十四岁。在近代，到了老年才有伟大成就的人更是指不胜屈，米开兰基罗（Mlchelangelo）在八十岁时方完成罗马的圣彼得大教堂的雕刻工作；歌德也在同样的年龄，写成他的名著《浮士德》；俄国大生理学家巴夫洛夫（Paviov），也是在八十岁时成就了他重要的发明。

在今天，东西各国科学界的名人、政治舞台上的要人，六七十岁的老者很多很多，英国艾登（Iden）五十几岁做了外相，人们还叫他做“青年外相”呢。

可是我们中国人，一到三四十岁，就嚷着：“老了！老了！”想起来真有点不寒而栗。

苏联学者波格摩拉（A.Bogomolete）说：“人类的寿命应该是一百三十岁至一百五十岁，”但他接着说，“但是不幸得很，仅只有极少数的人能享受这样的寿命。”这又是什么道理呢？我们想：

第一，人们之所以早衰，主要的是社会的原因。比如，饥饿、寒冷、潮湿、缺乏阳光、狭窄的居室、因不适宜的工作而做成的永久性的疲劳、冒险、失业、贫困……种种，都使人体组织器官衰弱，使它们易于感染各种疾病，而使得大量的人口因早熟的衰老而死。

第二，是由于体内组织性器官的慢性中毒，因为人类的器官，在日常生活中循环不断的吸取毒物——如由于食物或不清洁的空气等，因而容易早衰。

第三，是各种传染病，其中重的有下列九种，就是：糖尿病、肾脏炎、心脏病、中风、肺炎、肺结核、盲肠炎、毒瘤和意外危险等。这些疾病或危险，使人类器官留下了不可磨灭的创痕，从而使寿命降低。

以上三种原因加在一起，人们的身体，便不免日侵月伐，寿命自然不会持久了。至于人体生理上究竟那种系统与寿命的关系最为密切，波格摩拉氏也有一假说，可以引述如下，他说：

“直到现在，医学界对于生理上的结缔组织系统的重要，还不大去着眼加以研究。然而它实在可以说是我们身体上各器官的根，正像植物的根从泥土中吸取养料一样，人体中的细胞需要靠结缔组织方能从血液中获取养分，因此人体的健康情形，须视他身上的结缔组织是否健康，如同一种植物的生长、发育及它的外貌，全看它的根部的健全或是凋谢、强壮或是衰弱与否而定一样。所以结缔组织的供给各器官的细胞以养料及防止身体感染疾病的重要性是绝不应忽视的。”

根据波氏的意见，人类的寿命的决定是看他体内结缔组织的“寿命”而定。所以波氏及他的赞同者的这一学派说：“人是和他的结缔组织一样老。”

因此波氏还发明了一种使结缔组织重新活泼的血

清，据说注射之后，可以消除一切妨害结缔组织的因子，以克服求获长寿的各种困难。

当然，如果波氏的血清是有效的话，那也不是治本的方法，要想延年益寿，似乎还应从那些使人早衰的各种原因着手才行。

首先，我们以为防止死亡与延长生命之最普通的要点，应该是经常的举行体格检查，由于体格检查，我们才可以发现器官的真实的征象，从而加以预防或锻炼。但人们大都对于金钱可以锱铢必较，而对于生命有关的身体却常常漫不经心，这不能不说是一桩怪事。

疾病的预防，当然也是增长寿命的紧急工作，现代几种较可怕的疾病，并非全无办法，只要及早诊查，及早防治，还是不困难的。例如：

（1）在尿中发现了糖质而有糖尿病的症状时，应赶快节制饮食，服用适当的药物，便可恢复健康。

（2）在尿中若发现过量的蛋白质和红血球，便知道是肾脏失效，应即早日延医诊治。

（3）心脏病的死亡率诚然很大，但我们若能防止过度疲劳及过度饮食，就可大大的减少这种病征。

（4）过分的肥胖，常常是中风的原因，三十五岁以上的人，要特别注意你的体重，不要超过适当的重量。

（5）肺炎往往是受寒以致热度增高而发生的，现在医学界因为大量使用血清治疗，已可以使这种疾病的死亡大为减少。

（6）肺结核虽是一个可怕的名词，但它在人类死亡原因的比重上，已由第一位降至第七位。记住：常开窗户、多多休息、注意营养、精神愉快，一定可以减少这种疾病的危害。

（7）盲肠炎在死亡原因上列为第九位，如能及早发觉、及早诊治，可以说是毫无危险的。

（8）毒瘤如果不延迟到后半期，早日施以手术，也绝不会危及生命。

（9）至于意外的灾祸，只要我们在衣食住行上特别小心，也就可以避免了。

所以疾病和灾害，虽然可以危及我们的寿命，但在现在，人类已可利用科学的利器加以克服，问题只在我们是否细心去运用这些武器而已。

不过，疾病的防治，仍只是消极的工夫。比较积极的还是保持健康的合法的生活：首先，当然是充足的营养；其次，是新鲜的空气、适度的休息、正常的体格和愉快的心境等等；再次，是有规则的运动、多方面的趣味。具备了这三种健康条件之后，一个人才能生气蓬勃，顺其自然的多活一些岁月。

但是健康的生活不是从天而降的，它又必须以良好的社会为其先决条件。现在这个社会，实在太不健康了，贫穷、饥饿、疾病、烦恼、愤怒、恐惧、忧虑、嫉妒等等，充满了我们社会的每一个角落，如果社会的本身没有适当的改革，所谓延年益寿，仍旧不过是一句空话而已。

总之，目前我们虽然还不能克服死亡，但我们却有法克服早衰，而早衰之能否克服，则又视社会的状况及医药卫生科学之进步与应用若何而定。延年益寿不是用玄想可以解决的，它乃是一个十足的现实的问题。

一五　关于梦

谁都有过梦的经验，当你入睡的时候，你常常会做着一些稀奇古怪的梦；也许是美梦，使你异常得意；也许是噩梦，使你狼狈不堪，但无论如何，当你蒙眬醒来的时候，它只会给你留下一些虚幻的回忆，迷离恍惚，真伪莫辨。梦实在是太奇怪了。

从前的人，把梦当作一种预兆，以为它可以预示人生的吉凶，这当然是迷信的说法，不足征信。不过梦究竟是怎么一回事，这却是一个不易解决的问题。

近世梦幻研究的权威，当推心理学家弗洛德（Freud），他用“潜意识”这个名词来说明梦的成因。弗氏以为人的意识可以分为三种：一个叫做意识，就是我们现在能知觉的部分；还有一个叫做前意识，是在记忆中保存着的部分；更有一个叫做潜意识，是隐藏在意识中而不为我们所知觉的部分，我们之所以做梦，乃是由于这潜意识的关系。

这潜意识是从那里来的呢？据弗氏说：这大半是欲望不能获得满足的原故。因为每一个人在生活着的时候，他一定有种种欲望，需要满足，可是在实际的环境中，有些欲望可以满足，但有些欲望却因为与现实冲突而不能获得满足，这些不能获得满足的欲望，就被压抑下来而进入潜意识中。表面看来，被压抑的欲望虽然暂时平静无事，可是并不曾从此消灭，不过不能公然在意识中活动罢了。

又怎样保证这些欲望不能公然活动呢？弗氏更提出一种检查机关的假说，他说：为了防止这些欲望出来活动起见，在意识与潜意识之间，有一种检查的机关，专门监察那些“妄念”，不准它们闯进意识界中来，所以我们在清醒的时候，大半保持一种正常的状态，可是等到我们身心疲倦或者蒙眬入睡的时候，检查机关便不免稍有松懈，这时压抑在潜意识中的许多欲望，乃乘机活动，以求暂时的满足，这便是我们所以做梦的根本原因。

可是我们做梦的时候，是不是把那些被压抑的欲望毫无顾忌的表现出来呢？那却又不然。大概我们在做梦的时候，常常不能把欲望赤裸裸的表现出来以求满足，好像犯人不敢明目张胆的跑出来一样，它往往经过一番化装，以避免检查机关的耳目，所以我们的梦常常改头换面，迷离恍惚，甚至有时连做梦的人也猜不透是什么意思。

以上是弗氏关于梦的大概理论。这种说法，当然不无理由，不过潜意识是什么？检查机关又是什么？如果追问下去，恐怕连弗氏自己也拿不出一个证据来。因此我们在介绍了这种理论之后，最好还是老老实实的再来从生理和心理上加以考察。

从生理方面说：当我们醒着的时候，意识非常清楚，所有一切感觉的、运动的机能，均受大脑中枢的支配，对外界的刺激，发生有规则有秩序的反应。但到了倦而思睡的时候，机能就起变化：意识渐渐模糊，对刺激的反应也慢慢迟缓，这样便会酣然入梦了。这种现象之生理的原因大半是根据于中枢神经，据生理学家说：动物睡眠的时候，其中枢神经组织的细胞上“枝状突起”肿胀起来，好像佛珠的样子，并起“阿米巴”状的收缩，致令各种神经单位——神经原的距离增大，传达的距离增加，于是大脑机能便迟钝，大脑机能的迟钝，在人类就是思想的模糊，所以意识也就混沌了。不过迟钝并不是停止，它依旧是可以接受外界的刺激的。

既然睡眠的时候，大脑呈一种休息或迟钝的状态，所以梦里所做所思的事情，常不免荒唐无稽，与醒着所做所思的不同，但同时又因为它不是完全停顿（无论心脏、胃脏、肺脏以至神经中枢，都仍然或多或少的工作着），所以睡时体内体外的刺激仍旧可以引起睡眠者的种种经验活动而织成不同的梦境。

其次，若从心理方面说：梦中的一切作为，仍然都不外乎是对于刺激的反应，这种刺激，有时是来自外部的，有时是来自内部的，现在分别的谈谈：

第一，来自外部的刺激，主要的是属于感觉方面，其中尤以来自视觉、听觉及触觉者为最多。

我国古书《漂粟手牍》上载有："娥皇夜寝，梦升于天，无日而明，光芒射目，不可仰视，惊觉，乃烛也。"这便是由于视觉而来的梦。

又，《古今图书集成》载有："卢有则梦看击鼓，及觉，始知小弟戏叩门也。”这便是由于听觉而来的梦。

至于由于触觉而来的梦，也很普遍，最普通的是睡时将手压在胸部，常常会引起闷压的梦魇。海甫定（Hoffding）说：“睡中失衾而寒，则梦游北极之地，或裸体而行于市；若置火炉近于足旁，则或梦处哀德那火山之喷火口。”我国《列子》书中也说“寝带梦蛇，寝巾梦鸟”，均属此类。

第二，是来自内部的刺激，所谓内部的刺激，主要的是脏腑的活动和情绪的激动。

脏腑的活动可以引起的梦境很多，最明显的是膀胱的膨胀，往往会发生性欲的梦。《素问·脉要精微篇》说：“甚饱则梦予，甚饥则梦取，肝气盛则梦怒，肺气盛则哭。”也是属于这一类的。

至于因情绪激动而成梦的例子更多，凡是情绪上感受深刻的刺激，无论是喜、怒、哀、乐、爱、恶、惧，都可演成梦境，大多数的梦都属此类，而弗洛德的潜意识的理论，也泰半指此种梦境而言。

总之，梦不是无因而至的，它完全逃不出生理和心理的关系，古语说“日有所思，夜有所梦”，这乃是千真万确的真理。

不过，做美梦是很舒服的，而做噩梦却有些不好受。要想多做美梦少做噩梦，主要的还是要求生理和心理上的卫生，比如说，有一个平静舒适的卧室，睡前不作激烈的运动，不过分绞脑汁，不要忧愁，不要多虑，不吃得太饱，大小便有定时等等。果能如此，则纵然做梦，也都是一些甜蜜的梦，这些梦不仅对身心没有妨碍，恰恰相反，它倒可以给你一种意外的安慰呢！

一六　谈催眠术

催眠术是大家耳熟的一个名词，但它的来历怎样？方法如何？什么道理？恐怕大多不很清楚。这里就想介绍关于这方面的一点常识，当然这也只是常识而已。

先说催眠术的来历。据说，是滥觞于奥国麦西卯（Mesmer）的“通磁术”。麦氏以为人体中有一种类似磁气的液体，在全身周流。身体各部所含磁液能保持平衡时，就是健康的现象；如果某一部分所含磁液过多或过少，那就是失了平衡，其结果即为精神病。但是磁液是可流动传达的。所谓通磁术就是借接触和按摩，把磁液由甲体传到乙体，或是由同体中甲部传到乙部，取有余以补不足，使病人因恢复磁液的平衡而得痊愈。麦西卯行通磁术时，尝摆一只满盛铁砂玻璃粉和水的木桶在治疗室的中央，病人围着木桶站着，各从桶盖孔中抽出一枝铁棍，拿来触身体上有病的部分。大家都守着一种神秘的静默，于是麦西卯持着铁棍绕桶游行，顺次以眼光注视病人，同时用铁棍触他一下或是用手在他身上按摩数过。这样通磁之后，病人尝现一种迷狂状态。病的痊愈大半都在发狂之后。

我们略加考较，便可见出这种通磁术就是催眠术的雏形。病人经过通磁术而痊愈，其实是由于受了痊愈的暗示，并非身体中有什么磁液恢复了平衡。后来有人发现受通磁治疗的人，在迷狂状态中，尝发生类似梦游的举动，对于医生说的话，都句句照办。例如医生告诉他现在是赴宴，他就相信自己确是在赴宴，和想像的座客相周旋。病人醒后，对于这种经过便完全忘却。这个新发现就是催眠术的始基。

催眠的方法有种种，现在所用的，大概不外：（一）使受催眠者的眼睛，凝视一种明亮的物体；（二）以低沉的声音对他说话；（三）使其两手作律动的圆周运动，即可入催眠状态，而失掉统一其思想控制其动作的能力。实际进行的时候，大抵先由催眠者把催眠原理和功效向被催眠者说明一番，遇必要时还可以先将别人催眠给他看，使他知道催眠术并没有什么神秘，不必存疑惧的念头。受催眠者既然对于催眠者有信仰了，然后躺在一个安乐椅上，让肢体筋肉都舒舒服服的休息起来。催眠者于是告诉他凝神想一件平淡的事情，或者拿一件小物体摆在他额头前一尺远的光景，叫他注目凝视一两分钟，这样凝视，易使眼球筋肉疲倦，眼球筋肉疲倦是睡眠的一个很重要的条件。催眠者继续不断的用呆板的声气向他暗示沉重疲倦昏迷的感觉，比如向他说："你觉得肢体很困乏了，你的眼皮很沉重了，你在打盹了，你的眼睛已经湿汪汪的看不清楚东西了。"多数受催眠者听过这一番暗示，立刻就会合眼入睡。如果他还不能入睡，催眠者可以复述同类的暗示，并且做姿势来帮助暗示。最普通的姿势就是定睛注视受催眠者的眼睛，或者用手在他的额上往复作按摩的姿势。按摩的功用，在给受催眠者以单调而有节奏的刺激，好比摇篮歌催小儿入睡一样，容易引起昏倦。同时这种姿态，又可维持催眠者与受催眠者的关系，使受催眠者继续接受暗示，不完全坠入熟睡状态。

催眠的秘诀在信仰。受催眠者须有决心，愿以全副身心信托于催眠者。催眠者利用这种信仰也有两种办法：较旧的办法是采取驾驭的态度，处处使用命令，使受催眠者屈服于无上权威的下面。比如说，要受催眠者入睡，只用很严重的命令的口气向他说一个“睡！”他就果然睡了，这种方法收效很速，不过容易养成受催眠者的过度的屈伏性和依赖性。较新的办法是采取合作的态度，催眠者向受催眠者和颜悦色的解释谈论，叫他自己愿意合作。催眠是可以学习的，比如第一次催眠不甚奏效，以后多受一次催眠，感受暗示的能力也就逐渐增大。唤醒催眠也用暗示，比如说：“完了！醒过来吧！”有时在深催眠状态中唤醒较难，催眠者于暗示之外，可兼用吹眼皮及冷水泼面诸法。

一个人在被催眠的时候，可以做出种种与醒时不同的行动。这些行动大多是由催眠者暗示而来，所以近代心理学家大多用“暗示”观念来解释催眠。大概人们在常态生活中，其人格系由过去经验所形成，故极能禁止暗示之影响。但在催眠状态中，则缺乏此种禁止作用，故接受来自催眠者所发的暗示，非常有力。受催眠者之行动，完全听催眠者之指示。比如，催眠者告诉他说：他在湖中，他即刻便作泅水的运动。若告诉他一张白纸乃是友人寄来的一封信，他会诵读起来。他的动作，不像在睡眠之受禁止，乃系受别人心意之控制。被催眠者概受催眠者所发的暗示之统治，对于别人则毫不注意，故催眠历程系集中其注意于一个人的身上。

催眠的暗示，可以引起一种感官或数种感官之过钝感觉状态。如被催眠者受针之刺，或热铁之一触时，若给以适当的命令，他可全不畏缩。催眠的暗示有时亦可发生过敏感觉状态。如催眠者将两张白纸给受催眠者，说是两个人的像片，他却能将两张纸加以辨别。盖催眠状态为思想生活升至焦点之一种情状，知觉及其他经验，均为其附属物，在催眠状态中，经验流行遵照的定律，乃思考之定律，而非知觉之定律；但思想之衔续，常受文字的刺激之指导，非如在平常思考中及梦境中之为“自导的”（Self - guiding）。所以有人说，催眠经验可以视为一种如梦的心理状态，不过此种心理状态系受他人之诱导与控制，非如梦境由梦者自己的心理历程所引起所控制而已。

催眠术本来是用以诊治心理疾病的，但因其过分为暗示所操纵，所以现在大多代以精神分析的方法了。

一七　恋爱问题

一、恋爱的发生

恋爱情绪的发生，完全是青年期的事情。这时由于生殖机能的成熟，性腺开始分泌，激动青年使他开始对于异性萌蘖了爱情，这种情绪的势力异常强大，如果得不到适当的处置，常常会发生种种问题。

二、爱情的因素

两性间之主要的吸引的要素，原来是属于生殖机能的，这叫做原始性征。但是事实也很奇怪，一切的人们，在两性表示爱情的时候，常常最先决定于附从的性征。所谓附从的性征，包括很广，大体上说，乃是身体组成之明显的或微细的部分，例如面孔的状态、头发的颜色、眼睛的形状、声音的性质、行动的态度，甚至连衣服的式样、装饰的方法等等，都包括在内，这些部分虽然并不是两性生活之最重要的部分，但却是恋爱之决定的因素。

三、恋爱的方式

两性或恋爱问题，本不是一个猥亵的问题，但是大多数的父母和教师却采取一种缄默或无知的态度，这是很不对的。青年在进行恋爱的时候，常常会犯了肉欲第一的毛病，就是普通所谓浪漫主义。也有把恋爱问题孤立起来看，以为爱情是超越一切利害的，这就是所谓恋爱至上主义。更有一种人把恋爱看成儿戏，闹闹玩玩，比如苏联建国初期有所谓一杯水主义，便是这种表现。和以上种种相反的，还有我们中国传统的一种禁欲主义，表面上规规矩矩高唱男女授受不亲，但骨子里却有时丑恶不堪，这也是很常有的。以上种种都是变态的不健全的恋爱方式，往往使许多有为的青年，白白的葬送了，实在可惜！正确的恋爱方式，应该是把恋爱服从于正确的思想与生活，两性的爱情如果建筑在共同的人生的正确目标上，那才会稳固，才会永久。

四、恋爱与结婚

恋爱与结婚是密切的关联着的，有了正确的恋爱，才会有正确的结婚。因此，在恋爱的以前，应该冷静的观察对象，绝不要“一见钟情”。关于恋爱所应注意的条件，因了时代与社会而往往不同，例如有的社会里提倡三K主义（即主张妇女到厨房去，到教堂去，多生孩子）。有的社会里提倡贤妻良母主义，而有的社会里却提倡妇女应和男子一样的参加社会工作。这些不同的恋爱的态度，便产生不同的对于异性选择的条件，关于这些，这里无暇一一评论，我们只愿提供几个恋爱时所应注意的条件，供青年们参考，如果按照它们的重要性排列下去，那就是：一、思想，二、健康，三、智慧，四、教育，五、外观。这些条件，当然不容易一一满足，但如果大体上差不多的话，有些条件是可以慢慢达成的。恋爱的时候，一方面要考查对方，一方面也要省察自身的情形，如果有什么缺点，应该设法改正。还有，人在恋爱的时候，常常不能以真面目相见，这也是非常错误而危险的，恋爱是真诚的合作，绝不是一时的欺骗完事的。恋爱成熟以后，当然可以结婚，结婚以后，应该多方培植爱情，避免一切足以破坏感情的因子，这样一来，就可以有幸福的两性生活，西洋所谓“结婚是恋爱的坟墓”的悲剧，就不会发生了。

五、性爱的控制

青年对于性爱或性爱的控制是相当困难的事，如果没有控制的能力，那也是很危险的，关于这个问题，以下几点，可供参考：

（一）注意身体的健康，健康的人，性的要求是正常的。特别要注意的是睡眠有定时，盖被不过厚，不睡在床上胡思乱想。其次，对于有刺激性的食品如烟酒之类，也以不用为妙。

（二）避免性的挑逗，比如肉感性的书报、电影、图画、戏剧、舞蹈等等，以避免接近为好。至于朋友的闲谈，也不宜专以性的问题作为资料。

（三）从事有益的运动及高尚的娱乐，使精力有处发泄，并可促使健康的增进。

（四）不要闲着，安逸思淫欲，这话是不错，要常常忙碌些，趣味也应该是多方面的。

（五）不要孤独，闲居容易为不善，因此多交良师益友，多多互相鼓励是必要的。

（六）多读进步的书报，使自己的注意转移到更伟大的工作上。

（七）保持健全的性的态度，去和异性交往，不要一与异性接触，就联想到恋爱结婚那一大串的事情上去。

（八）避免与不良的异性接触。

（九）不把恋爱看成人生的全部，恋爱成功，应该考虑去共同建设美满的人生；恋爱不成，应该急流勇退，对于对方，应该有相当的尊重，不要开始是“恩爱”，结局是“冤家”。

（十）社会上尽有许多人，因为恋爱不成，而把精力转而贡献到有益的学术或事业上，这也是值得效法的。

一八　夫妇之道

恋爱着的男女，双方如觉得情意相投，便相约白首偕老，大概要经过一度公开的仪式，从此乃结合而为夫妇。夫妇是恋爱的新阶段，夫妇生活的协调与否，关系着一个人的终身幸福，这是男女们在结婚前所应及早考虑到的问题。

大部分婚后不幸的现象是由于把结婚看作是恋爱的终结，好像一经结婚，两人便不必再互相小心的爱护，这么一来，必然的会使恋爱时的一切梦想打得粉碎。

也有些人在恋爱时太不坦率了，太过做作了，一切言语行动都披着一层伪装的外衣，使对方感到你真是一个十全十美的人儿，但一旦结婚，你便真面毕露——暴躁、浪荡、偏见等等，毫不掩饰的暴露出来，这时两人之间必不可免的要互相感到失望，以致发生龃龉。

更有些人，在恋爱的阶段觉得兴趣很大，但一经结婚，便觉索然寡味，终日弄在一起，那些往日的新奇的事情已经不复再有了，像一个人天天吃面一样，吃得简直发腻。

怪不得西洋人会说“结婚是恋爱的坟墓”，这种事实确乎是有的，但难道这种事实是宿命的厄运吗？不，当然不，愚昧、虚伪才是这种厄运的真正原因，你要想避免这种厄运也是不难的，第一，把结婚看成恋爱的一个新阶段，从此你们将正式在人生道上合作前进，互相的体贴、安慰、爱护、鼓励，不但必要，而且要比恋爱时更要当心些，因为恋爱还不是正式合伙，中途分离，损失较小，结婚以后好比一个正式的股份公司开张了，大家如果不合作，结果非遭到严重的破产不可。记住：爱情犹如花草，它是时时有待于灌溉培植的。第二，你们去寻求多方面的兴趣，人的生活如果太呆板了，必然的会感到无聊，夫妇生活也是一样，两个人如果终日面面相觑，不去找一些增加兴趣的办法，那真的会像吃面吃久了一样感到发腻。增加兴趣的最好办法，当然是有一个共同的事业或学术的理想；其次是多方面的休闲活动，例如搜集珍品、艺术活动、观赏戏剧、旅行远足等等皆是。

以上是指一般的情形而言，至于使夫妇不睦之较特殊的原因，则往往是两人之间的生理的或心理的不协调。

所谓生理的不协调，就是在性生活上不能互相适应，除了非常特殊的情形以外，大概都是由于性生活的无知，比如在性生活上男的欲望常常来得比较快而猛，但也极容易平定，女的则比较缓，而达到顶点的时间也较迟，但却不像男的那样容易平定，这时男女如不能互相体贴、原谅，则粗暴、不满等等情绪，常会由此而生，甚至造成很大的不幸。

所谓心理的不协调，则大多是属于情绪及性格方面，情绪不正常或情绪不成熟的人，极不易与人合作，比如神经衰弱者容易疲倦、怀疑，当然会造成家庭的不幸。也有些人因为从小环境不良，事事依赖娇惯，以至虽然长到二三十岁还同小孩一样，稍不如意便吵便闹，说别人不同情，一味为自己着想，自己像是环境的唯一的中心。更有一些心理不健康的人，惯于迁怒，喜欢掩饰，同任何人都处不好，夫妇也是一样。此外由于各人的生理以及过去的环境、身世、习惯而造成的独特的性格，比如喜欢热闹与喜欢冷静的两种人，如不互相了解互相适应，便极不容易合作下去。

要希望夫妇的幸福不为这些生理心理上不协调的因素所破坏，那只有互相忍耐、原谅，以求逐渐的达到互相适应、互相策励才行。

家庭经济也是一个会使夫妇不协调的原因，一味乱花金钱，不管收入的情形如何，是足以使家庭破裂以至身败名裂的，因此夫妇应该对于用钱有一个计划，收入多少，如何支出，量入为出，自然可以减少许多不必要的烦恼。

爱的技术亦很重要，比如丈夫工作回来，妻子应该给以安慰，却不应置之不理，或甚至立刻诉说一些使人烦厌的琐事。又如妻子做了一件辛勤的工作，丈夫也应该加以赞扬或致以谢意，这无形之间，也可以增进爱情及兴趣不少。他如各人自己的修饰，良好习惯的保持，也足以使对方对自己的爱力增加，使夫妇的不幸减少。

特别重要的还有一个思想问题，两个人的思想、愿望，要相当接近，而不能完全背驰，不过这个是可以用学习及劝说来加以补救的。

破坏或增进夫妇的感情的又一因素便是贞节问题，专以玩弄女人的男恶棍或专以愚弄男子的女流氓，那是不足挂齿的，在正常的状态之下，男女双方如果一旦决定终身相依了，那便要始终如一的坚守贞操，坚守贞操是双方的不是片面的，如果有一方不贞或死亡，当然我们不能强求他方单独遵守。所以一个已婚的男或女，为了保持夫妇的爱情，切不要毫不注意的同别的异性鬼混，当然正当的社交我们亦是不反对的。

夫妇间的口角也是难免的事，当你们口角时，下面几件规则值得向你介绍：

一、不要当人面前口角；即使在私下口角也不要大喊大叫的，以防别的房间里有人听到，你总知道“忍为贵”的，在你心中有话要说以前，应用各种方法忍耐压抑，等到只剩你丈夫一个人的时候你再说，别人知道你们口角，会妨碍你的名誉的，并且使你在事情平静后，觉得怪不好意思的。

又，你们口角时，千万别让你们的孩子们听见，如果让他们听见了，会给他们一种很坏的影响，事后你们要深深懊悔的。因为你们破坏了他们对家庭完全及父母和气的信念。

二、在你同你丈夫发生争论时，你不要跑到你母亲或你最好的朋友那里诉冤，她们都是爱你的，只听了你的一面之词，很难不偏向你，除非你愿意而且能让他也去诉说他的理由，否则只为你们人求同情，无补于夫妇关系的增进。

三、大多数的女人，因为生理的关系，影响到她们的心理状态，她们自己心里总觉得烦闷，很容易发脾气，这种现象在某些时期，比平常更厉害。对症下药的办法是平心静气的自我检讨，找出容易发脾气的基本根源。寻出根源以后不要丢开不管，应该利用它来改善自己的心境。

四、如果你的心理状态许可的话，你不要把你满腹冤屈对你丈夫一下子全发泄出来，若是这样一来，不仅无补于事，反而会使他老羞成怒。你要知道：每个人都是要体面的，他晓得他有这么多的过错，马上要愁楚满腹，难过万分。

五、在你们和好的时候，就应完全和好，你不要畏缩。如果你在发脾气的时候说了错话，事后你应该勇于认过，以后再也不要提起才对。

总而言之，夫妇也是一种合作，不过它在一切的合作中是更为彻底、更为密切、更为真诚的罢了，合作的成功与否，并不是瞎碰的或偶然的，乃是靠了双方之自主的理智的协力。古人说“祸福无门，惟人自召”，希望享受幸福的夫妇生活者，请谨记住这两句话。

一九 谈谈胎教

每个儿童自受胎之后，要住在母胎内亘九个月之久，这九个月来，他究竟做些什么工作？和他生后的身体精神方面究竟有什么影响？我想这也是儿童教育上必要的知识。

我国古时，也有胎教之说，但是那里面含有十足的迷信与礼教的成分，所以反足害人。但从科学方面说，于此亦无一致之说话。现在只介绍几点较确切的结论，以便知所注意罢了。

所谓胎儿，是指自受胎时起至出生时止的一个时期，这可分为二期：一为胚子期，就是受胎后至未成人的形态，约有四个月之久；二为形成期，就是具有人的形态直至出生的时候。但这个划分也不是十分明显的。

人们一生的生长，要算胎儿长得最快了。据费德曼说："在生长方面，婴孩自初生以至成人，其体重所增不过二十倍，其体高所增不过三倍半。而自受胎以至出生，其体重所增则在九万零六百万倍左右，其体高所增则约二千五百倍。"在受胎之后，胎儿的生长既速，但母胎中的空间却有限，在这种环境之下，胎儿即受种种刺激。据费氏的意见，以为可以影响胎儿生长的刺激，重要的有两类：(一)物理的，如机械的、热力的、电气的、射光的、环境的密度、吸力、向心力等。(二)化学的，如常态生长中所需的物质，如氧气、水、食物、内分泌等。

以上的刺激，对于胎儿的长成，有很大的关系，当胎儿在母胎时，他是与母亲的血相贯通的，他的周围有无数的微血管缠绕着，他就借着母亲的血以资营养，好像寄生虫一般。所以我们可以推知：假如母亲的血质是呈乎常态的，则胎儿亦能常态的生长。但如何血质就会呈乎常态呢？这很容易回答的，就是：(一)供给常态生长中所需要的刺激，——指一切物质上精神上的需要。费氏又说："常态生长所需要的刺激，若不存在，则胎儿出生的时候，其身体一定不完全，或者身体上的一部，是一种变态形状。"所谓长子、矮子、独眼等怪胎，大半是由此发生的。（二）避去有害常态生长的刺激，像母亲在怀胎时染病甚剧，或发生情绪的震动，或营养料缺乏，或嗜酒太甚，或血质不清，或掺有毒汁在内，则胎儿难免有变态的生长了。

古时的胎教，往往以为人的精神，不要媒介物可以直接传于胎儿，实是错误，由上我们知道人的精神，乃通于肉体，以传于胎儿的，主要的事就在常常供给常态生长中不可缺乏的物质，同时希望怀胎者不染剧疾，不引起非常的惊惧与忿怒的两种反应。至于思想纯正等，犹其次者。

其次，关于胎儿在胎内的活动、工作以及长成的情形，也与胎教有很大的关系。

据美国竹其米大学教授闵可史基氏的研究：两个月到两个半月的时候，胎儿的头躯及其两端即常能运动，这些运动是很慢的，这时皮肤所受的刺激和四肢位置变迁已能反应，不过这些反应动作，非常有限，因其所处的地方实在很小，而且在九个月中，大半的时间被睡眠占去。又胎儿的心跳在其母受胎后二星期即已开始，胃腺的工作，似在第五月之终。

据我们的常识，如怀胎六个月而生下的婴儿，已能作少许的呼吸运动，但若产生太早，是不能生存的。若满了七个月而生的，即能生存，所有的动作即已具备，由此可以证明在七个月内胎儿身上的各部组织已长得能够受适当之刺激而反应了。

由上面看来，胎儿自受胎以后，实全为环境与生长问题，除关于母亲应有的注意外，更有一问题为不可忽略者，即有无先天禀赋。行为派的心理学者坚决的说，没有所谓心理遗传，只有一种“趋向”。瓦特生更大胆的说：假如给他以普通的婴儿，他可照着他的意思去教他，使他成为他所要教成的人物。但他也只是说，而不能去实验。依我们的见解，遗传的确不如旧的心理学家所说，但我们不敢说绝无所谓遗传。比如说种瓜得瓜，种豆得豆，两马相交而生小马，驴马相交而生小骡，这里就是遗传的关系。人类的身体智慧，同他父母确有关系，但不是完全相关，又因为父母的身体智慧是受之一对祖父母的，这样推上去，可以连带推得很远，所以除了上面所说应该注意环境方面的刺激而外，更当注意配偶选择，以望男女两方的遗传都好，也是必要的。

西洋配偶的选择注重谱牒，中国也注意门第，这原是不无理由的。然中国所谓门第较好的人家，往往不见得是优越的分子，因为别的缘故，很愚笨的人，也常常可以变为很好的身家，所谓未结婚的青年男女，要注意对方的家庭，倘若有犯罪遗传，或精神病、白痴等缺陷者，万不可与之漫然结婚，否则不现于子女，便现于后代，是贻害无穷的。

择偶似乎是生育的第一步，影响胎教很大，所以也论及之。

二〇　婴儿保育须知

所有的父母，没有不希望自己的孩子长得结壮而可爱的，但怎样才能如愿呢？我们知道：由于现代育婴知识的进步，已有许多宝贵的经验，可以供我们参考。我们如果能把这些经验融会贯通，灵活运用，那么，理想的宁馨儿是一定可以有把握实现的。以下就是介绍这些常识。

一、胎教

（一）选择适当的配偶，所谓要开好的花，先要有好的种子。

（二）女子怀胎以后，衣食住行都要有适宜的供给。

（三）孕妇的精神上，不可受剧烈的震动。

（四）孕妇不可染危剧的疾病。

（五）孕妇不可有过度的工作。

（六）孕妇不可有不良的嗜好。

（七）孕妇要时时有愉快的情绪。

（八）孕妇要每日有柔和的运动。

二、哺乳

（一）小儿产后一二日内，可不哺乳，二日后每日哺乳四五次已足。

（二）每次哺乳时间，不得过二十分钟；哺后，将小儿身体挺直，用手轻拍背部，使噎出食乳时所吞入胃里的冷气。然后安置床上，不可动摇。

（三）哺乳应有一定时刻，因小儿能按时吸乳，即能按时睡眠，每日哺乳时刻与次数如下：

（甲）初生婴儿，每隔三时，哺乳一次，二十四小时内，共哺七次，即早七时一次，十时一次，午后一时一次，四时一次，七时一次，晚十时一次，此后直至次早七时，中间只哺一次。

（乙）满四个月后，晚间十时后无须再哺，二十四小时内共哺六次。

（丙）满六个月后，四小时哺一次，二十四小时共哺五次。

（四）倘婴儿时时啼哭，可给他温开水喝，不可用茶或糖水。

（五）婴儿在十个月后，可以吃流动的食物，像汤汁等。

（六）周岁以后，可喂稀粥、牛奶、饼干、果子露等易消化的东西，同时减少哺乳的次数。

（七）食物量逐渐增加，哺乳次数逐渐减少，到两周岁便可断乳。

（八）断乳不宜在夏季。

三、乳母

（一）非有特殊需要，绝不雇用乳母。

（二）乳母须身体强健、精神饱满、骨骼坚韧、皮肤清洁、牙齿整齐不蛀、无一切害病及传染病的。

（三）年岁约二十以上三十五岁以下。

（四）性情和蔼，诚实亲切，聪明而细心的。

（五）乳房大小适宜，乳汁味甘色白（以请医生查验为宜）。

（六）生育时日宜与母亲生育之时日相近，若差三四月者，不可用。

四、睡眠

（一）婴儿切不可与母亲或乳母同床。

（二）婴儿的睡床，褥子要平整温厚，睡具上盖被单，下垫油纸，被要轻，枕要低。

（三）婴儿睡眠不可弯曲或始终偏向一方。

（四）婴儿睡眠不必摇动摇床，只将室内光线减暗，室内清洁，不受饥饿，易于入睡。

（五）婴儿睡室，宜空气充足。

（六）婴儿睡床应放在避风地方。

（七）初生婴儿每日睡二十四小时上下，半岁以后，睡十六小时上下，每日必有午睡一次。

（八）婴儿不能安睡，不外下列原因：

（甲）饮食失调。

（乙）神经受刺激。

（丙）生理上不适。

（丁）睡眠过度。

五、洗浴

（一）婴儿在生后十日（须注意脐带如尚未断疤，万不可入水），便可在澡盆内洗浴，除患病或身体太弱外，每日必洗浴一次。

（二）脐带断的时候，要隔两日不洗澡。

（三）洗澡时间宜在午后二时，婴儿吃奶后一小时最相宜。

（四）洗澡时室内空气要温暖，无论何时，都该关闭门窗，或在避风的地方洗澡，冬天需要有火炉。

（五）洗澡水不可过热或过凉，温汤酌加食盐少许最好。

（六）澡盆不可过大过深，水也不要太满。

（七）先洗头面，然后脱衣洗浴，用毛巾包着放下水去。婴儿在盆中，需要用手托着头部，洗浴时间不可太长。

（八）洗后赶快抱出，用干毛巾干擦，用天花粉或爽身粉扑颈下腋下腿缝等处，赶快穿衣服。

（九）洗后放入摇篮内安睡。

（十）洗澡时，不可用药皂或刺激性强的肥皂。

六、衣服

（一）小儿衣服，质地要柔软轻暖。

（二）小儿衣服，夏季尺寸应宽大些，冬季稍微紧些。

（三）初生儿的衣服，缝头应向外，以免摩伤嫩皮。

（四）小儿的鞋宜合脚，不宜过小或过大。

（五）小儿着衣，不可过厚或过薄，但应较成人略厚些。

（六）小儿的衣服，最好用带不用纽扣。

（七）小儿可穿围衣，以便常常洗涤。

（八）衣服颜色，以夏白冬黑为宜。

七、食物

（一）小儿食品，以易于消化者为好。

（二）小儿食物应有定时。

（三）小儿食物宜力求清洁。

（四）牛乳鸡蛋为小儿之常备食品。

（五）新鲜而煮烂之肉类可食。

（六）蔬菜、果汁，每日均须食之，惟不可过多过少。

（七）生水果、糖果等零食，不宜食。

（八）有刺激性之食品如茶、咖啡，均不应食。

八、便溺

（一）小儿初生第一周内，每日应大便二三次，此后每日一二次。小便每隔二十分钟一次，稍大则次数减少。

（二）通常健康小儿的大便，色黄软滑无泡沫。

（三）大便呈暗黄或黑色绿色时，是有病的征象，此时须注意小儿的饮食及寒暖。

（四）小儿在两月后，便可每日于一定的时间大便。

（五）小儿大便最好在早餐或午餐以后。

（六）欲使小儿大便有定时，必加以相当训练。

九、玩具

（一）小儿玩具宜择表面平滑、可以洗濯的，如橡皮玩具类。

（二）小儿玩具宜择稍大的、轻的，没有棱角碎片的。

（三）小儿玩具宜择不脱色或无色的和不附有毛发的。

（四）小儿玩具不宜太小，以免入口。

（五）小儿玩具要有教育意味。

（六）小儿玩具，凡敲打时声音太大，或反射光太强的，均不宜玩。

（七）小儿玩玩具时，切忌放在嘴边，以免传染疾病。

（八）小儿玩具应有储藏或陈列的地方。

一〇、保护

（一）小儿神经，因脑部组织细弱，不可受大刺激，半岁以前，不可使他多见生人，总以安静为宜。

（二）小儿未满六个月，不可逗他过度玩笑。

（三）小儿过度玩笑，能令神经受刺激，以致夜睡不安，和消化不良。

（四）小儿玩笑时，宜在清晨睡醒，或在午睡之后，切不可在临睡之前。

（五）小儿睡着时不可与之接吻，便是醒时也不可和小儿接吻，免得传染疾病；不得已时，只可吻其额面或两颊等处。

（六）小儿需要自由活动，在襁褓中也必须每天解去外衣，使小儿能够手舞足蹈，全身活动。稍大能爬能坐时，可以铺厚褥在地上，周围用短栏围起，让小儿在里面爬行。

（七）到小儿能走能跑时，更应当随时教以自动跑跳拿物，以练习他的手脚和性灵。

（八）小儿的颅门在小儿头的顶门中间，为一块跳动的地方，须一周年或二年才能封闭。若在二周年后仍不封闭，便是身体发育不良的缘故，必须请医生诊视或多吃营养之物。

二一　儿童的长成和学习

普通的父母，往往不知道“长成”和“学习”的关系，因而对于他们的孩子有许多不合理的希望。譬如有些父母，希望孩子早一点会走路，于是刚会爬，便教他走，结果常生出意外的危险；又如一些“望子成龙”的父母，在孩子刚会说话的时候，便要他鹦鹉式的识字，刚能识字的时候，便要他正襟危坐的攻读不辍……很多很多这样不合理的希望，是我们常常看见的。

这些不合理的希望，不但对于孩子没有好处，反之，转生出许多坏处来。这是怎样的可惜的事！费了力不讨好的呆事！

我们知道儿童的学习，依赖两个大的因子：一个是长成，一个是学习，不长成不能学习，纵学习也是无益；所谓“不会爬学走路”，这是顶可笑的事；然而不学习则无发展、无进步，长成亦无益。聪明的父母，要深深知道孩子生长的程序，什么时候可以走路，便教他走路，什么时候可以说话，便教他说话，什么时候可以识字，便教他识字，……不着急，也不懈怠，那么你们的孩子，一定会活泼泼的长成功一个好孩子。

上面说的“长成”和“学习”的关系，以下可再作较详细的解释。

兹先说“学习”，学习不一定指识字读书，大凡动作上、行为上因练习而有改变的，统可叫做“学习”，比如肌肉经过练习而增加以后动作的力量便是。但我们要问人们是否堕地以后就可任意发生动作或行为？谁都知道发音器官未完备以前，不能有语言的行为，四肢肌肉未发达以前，不能有走路的行为，推之，婴儿期的儿童不能有幼儿期儿童的行为，幼儿期的儿童不能有少年期儿童的行为，……非不为也，是不能也。此种要等一定时期发达而完成然后可以学习的内在的组织与人格，便是“长成”问题。

关于“长成与学习”的实验，葛绥儿曾做过。他从数百测验中选出一对极相同的双生女，在实验开始时她俩毫无差异；为便利计，一取名甲，一取名乙。在她俩生后四十六个星期时，实验者在地板上置一小梯，一端靠于高台上，上放有趣的玩具；此时使甲爬上去取玩具，每日练习一次，但她爬得很慢，而且形式笨重，需人帮助。乙则不给她有看或练习爬梯的机会，如是经过六个星期，到了第五十三个星期，才使她开始爬梯，这也是她第一次爬梯，但她不像六个月前甲爬时那么笨重，她能不需帮助，很从容的直达于顶，且费时亦较甲为少。从此以后，只给乙学习爬的机会，而不给甲去爬，到第五十五个星期时，乙已超过甲之成绩。由这个例子，可以见出：乙之初次爬梯所以较甲之初次爬梯成绩好，实因四十六个星期与五十三个星期其“长成”与否的原因。以后乙较甲成绩好则由于“学习”。不长成时的学习是无用，长成后不学习则无进步，于此可以证明。

所以我们希望做父母的人们，不要对孩子的希望太奢，相信什么“三岁能文”“八岁神童”的胡说，而要慢慢考察孩子长成的情形，按时供给以相当的指导，使有更好的学习。詹姆士有一句名言说“打铁趁热”，就是告诉你铁还未热时，打也无益；铁若正热时，要趁热打去，一打便成，不要放弃机会！

以上的话，不只说婴儿期孩子的动作方面如此，对于任何儿童的行为，做父母的都要看他的长成的情形而予以适当的指导才好！

二二　父母子女之间

家庭是现时中国新芽的温床，是下一代小主人的摇篮，家庭生活的圆满与否，常常对于孩子们的一生有着极大的影响，而家庭生活中最主要的关系便是父母子女之间的心理问题。

一般在贫穷线下的家庭，父母们终日为衣食忙碌，在饥寒愁虑中过活，心理上已经是不健康了，若是碰着呕气的事情，不是乱叫乱骂一阵，便是借着打骂孩子出气，弄得孩子莫名其妙，看来实在可怜。所有的孩子都是好奇的、爱发问的、喜欢东跳西蹦的，父母在心境好的时候，也许还逗着孩子玩玩谈谈，心境不好的时候，那就糟了，孩子一动，便怒目相视，孩子一发问，便厉声叱斥，日子久了，孩子们不是沈默苟安、对事物采取不关心的态度，便是向家以外去自己寻求情绪上的发泄，好多小孩子从家里逃出来而不愿回去，这并不是没有原因的。

照理富人阔人们的孩子，娇生惯养应该是养得不错了，但又常不免矫枉过正，阔人们的家里有的是仆役，一切的事仆役都给代劳了，小孩子活像傀儡，专门坐享其成，弄得四体不勤五谷不分，从小就变成典型的无用之物。有些父母把孩子整个交给仆役们，孩子便在仆役群中学着乱吃、乱喝、胡作胡为，而且富人们因为有钱，打牌奢侈等不正当的行为间常不免，孩子们从小就参加在这种生活里，无怪人们都说“有钱之家常出败子”呢！

父母两人如果是恩爱的，那孩子当然幸福得多，如果父和母有什么不和或者甚至有决裂的倾向时，那孩子就苦极了，父亲要这样，母亲偏要那样，各人都拿着孩子们作为赌气的工具，这种孩子的心理如何会发展得正常呢？

尤其在中国，一夫多妻的事实还相当多的存在着，一夫多妻是家庭纠纷的重要根源，孩子生长在这种斗争的环境里，是极容易养成愤怒、嫉妒、阴谋、消沉等等的生活态度的。

孩子们稍微大了一些就要进学校，学校里所教的也许与父母所要求的并不完全相同，老师说：不要骂人，不能打人，不可偷东西，不要随地吐痰，但一回到家中来，父母动不动就打人骂人，痰更是随地乱吐，哥哥在外面偷偷拿了人家一个萝卜，父母不但不生气，反而大加赞赏，孩子们心理怎能不彷徨犹疑而一至无所适从呢！

生当我们这个青黄不接的时代，做子女的更不容易，社会上有新的自由恋爱，但偏有一些父母非包办子女的婚姻不可，儿子希望为国家为人民服务，而父母却要求子女去做扬名声显父母的工夫。子女们喜欢看鲁迅巴金的作品，父母们偏要他们熟读四书五经，冲突之下，双方如果不能求得合理解决，那必然的会使家庭走向忧郁悲苦的深渊。

家庭里如果只有一个孩子，好处是父母们可以全力来爱护他，但儿童总需要儿童为伴侣，父母们的能力远非儿童所能及，父母们的兴趣也与儿童有着多少的距离，因此，一方面他会因为缺乏同伴而感到孤寂无聊，一方面因为不能与父母或成人争胜，遇事便只有撒娇，这种习惯定型了，等到与广大的社会接触之后，不适应乃是必然的结果。

当然家里有几个兄弟姊妹是好的，不过小孩子拢在一起，就不免为了一些琐碎的事情像吃东西不均啦、争夺玩具啦，纠纷也是不免的，一些父母们如何处理这些纠纷呢？有的不问谁是谁非，一律打骂一顿了事，有的专门袒护小的，表面上像是保护弱小主持正义一样……其实这都是不对的。我们以为态度一致、待遇平等是父母教养子女的重要法则，而对于子女们相处的态度，如果事后打骂，倒不如事先劝他们合作，倒是比较聪明的办法。

为了供给父母们参考起见，我们愿提供下列几个信条：

一、小孩子须要有适宜的伴侣，做父母的不妨同他们玩玩，想来亦不致失了身份。

二、父母应该鼓励儿童，尤其是独生子，去结交一些小朋友，若是他的小朋友并无恶劣的行为，便应让他们到家里来走走或玩玩。

三、父母应注意到儿童的玩具和零用钱的多少，应与他的年龄相称。

四、父母对待子女须取同一的态度，若父亲摆出“严”父的架子，让母亲去做“慈”母，所谓一个做“铁面”，一个做“花脸”，这种不一致的方法容易使儿童看出父母弱点，结果，不是敌视“严父”，便是藐视“慈母”。

五、做父母的不应在儿童面前自己争闹起来，即使是善意的争闹，更不应当迁怒于子女。

六、做父母的切不可暗示小孩子使他们发生惧怕，更不应以“父亲”的名义来恐吓小孩子。

七、做父母的不应在别人面前责罚小孩子。

八、做父母的应该常常利用儿童的好问心来作教育儿童的一种良好动机，使其智慧得有充分及合理的发展。

九、做父母的应奖励儿童在家里做点事情，尤其是富裕家庭中更应养成这种习惯，若一味的溺爱，则会使他变成问题儿童。

十、家庭应尽可能民主化，教导儿童：如顾虑别人的安宁、应该爱人等，亦须采用宪法的精神，父母如能在事前和儿童共同讨论处理各种行为的办法，使儿童明白做错了事并不是得罪了父母而是违反了公意，这可培养儿童的法治精神。

二三　青年的自我教育

一、青年期的意义

“青年期”，就其字义上说，是指人们生长到达成熟的时期而言，最主要的是生殖机能的成熟、身体发育完成以及与此相伴而来的身心的各种变化。就其时期来说，大概是指十二三岁到二十岁的这一个期间，不过这是一般的说法，实际上各人的差异是很大的，比如，男女之间，女的总比男的早一二年，平均女的开始于十二三岁，而男的则约在十四岁。就环境说，寒冷地带的人总比温暖地带的人要晚些。此外生理的情形、生活的状况等等，对于青年期开始的时期，也多少有些影响。

二、青年期的特点

青年期普通又叫做人类的第二诞生期，就因为它有着与其以前时期完全不同的特点。本来，一个人第一次诞生以后，经过了乳儿、幼儿而达到了少年的时期，若是作为一个独立的生物而存在的话，这已经是很够了。但是事实上却不能如此，第一，在生理方面，他还不能担负起种族繁衍的任务；第二，在精神方面，他还不能够参加复杂的人类文化生活。因而人在少年期生理心理稍稍稳定了一个时期之后，紧接着再来一度新的破坏，长眠未起的生殖器官，渐渐从梦中醒来，新的人类文化的天地，逐渐出现于他的眼前，于是他感到新奇与动摇，像一个新生的孩子初到世间来一样，这样便开始了他第二次的诞生。这第二次的诞生，大概有着这么几点特点：

第一，身体由破坏到重建：少年时期是人生最健康的时期，死亡率最低，但一踏入青年期，身体经过一度动摇，健康便再度衰颓，而死亡率亦随而增高，这样，人类的身体乃由小规模的全成走向大规模的重建。

第二，性机能的逐渐成熟：性机能的成熟可说是青年期的一个标记，生理心理的变化都随了这标记而出现。这使青年觉得新奇，但这也使青年问题更加复杂。

第三，从被保护而至自立：少年时期是一个驯服的羔羊，他们之取得成人的欢心，多由于此，但一到了青年时期，像刘姥姥走进大观园一般，万花缭乱的社会，使他怀疑，使他兴奋，他发现了自己，同时也发现了世界。

第四，人格由动摇到完成：青年时期是人格形成的一个时期，他开始对事物有了系统的判断，对人生有了较深的理解，他将要作为一个独立自主的社会的人而存在。但是在这一形成的过程中，并不是顺利而容易的，这其间一定充满了无数的矛盾、冲突、动摇、失败，最后才趋于完成。

三、青年期的重要

青年期实在是人生上的一个最重要的时期，从个人说，幼年时期虽然有其重要性，但真正学做社会的人却是青年时期的事，幼年时期的教养，纵然有些缺点，还可以在青年时期加以补正；反之，如果青年时期的教养不好，那不但会把以前的教育结果破坏了，而且以后很难再有适当的补正的机会。从社会说，幼年的人还不能圆满的参加社会生活，壮年和老年的人，有的则已世故甚深，有的则已行将就木，感觉锐敏朝气蓬勃的社会的新生的力量，就要数到青年了。因此，无论为了青年自身，为了社会前途，对于青年身心发展的了解与帮助，都是十二万分的必要的。

四、青年的自我教育

青年教育的完成，一方面固然靠了父母师长和朋友的指导与帮助，而更重要的却有赖于青年自己的觉悟，青年应该了解自己的特点，了解自己所处的环境，然后决定自己的学习、工作与生活的计划。把自己作为一个独立有为的人看待，把自己作为历史发展中的人物看待，不自卑自怯，也不自骄自大；不是厌世主义，也不是英雄主义；要了解时代发展的规律并从而推动时代加速的向前发展。为了要达到这一目的，首先必须加紧的学习，其中最重要的是哲学和社会科学。学习不是为了出风头，而是为了严肃的做人，所以学习的时候，必须艰苦而深入，不要盲从，也不要犯了公式主义，虚心而诚恳，乃是非常必要的。同时，学习应该与现实的实践生活配合起来，因此，你要继续不断的批判自己，批判你所在的环境与人物，留心国内政局发展与国际的动态。这样一来，你的人生，才有寄托，你的生活，才会主动。至于工作，最好是自己早些决定要走的路向，对于要参加的工作，能有深入的认识与优良的技术。学习与工作就是你生活的主要内容，要在生活中逐渐体现你学习与工作的计划与目标。这样，就是学习做“人”，这也就是我们所企望的青年的自我教育。

二四　越过学习的高原

世间一切事情的进行都是曲线的不是直线的，这在学习的历程中所表现的事实也是一样的，比如我们学英语，起初学会了几个字母和几个单字能说一些Good morning，Good by，Thank you，觉得进步很快，但以后渐渐感到困难，什么动词的用法、副词的用法、短句和仂语（词组——编者）等等，越来越复杂，此时大有望洋兴叹之感。又如学游泳，起初练习了几次，不知不觉的飘浮起来，于是沾沾自喜，以为从此可以乘风破浪作一个水上英雄了，可是等到你练习什么蛙式或自由式的时候，总觉得进步不如理想中的速度，有时甚至完全没有进步，这时你便觉得困难来了，你才知道虽至游泳末技，也不是几次练习可以学好的。

大概说来，一个人学任何一桩事情，最初往往因为生理与心理上都没有准备，所以进步不多，不过如果兴趣很好，这个阶段是很容易的就克服了的，过了这个短短的阶段便觉得进步异常之快，其原因：一来生理与心理上已有准备，二来注意比较集中，三来初步的材料也比较容易，可是过了这个阶段便往往觉得进步很慢，甚至毫无进步，好像爬山一样，起初以为爬上第一重高峰以后，就可达到目的了，可是既至峰巅，举目一望，忽然发现山外尚有青山，至此还不免有知难欲退之感。又好比旅行游览，这种情形，正合着古人所说“山穷水尽疑无路”的境况，如果不继续前进，便只有“叹观止焉”而已。但是世界上大多数的学习是没有止境的，我们到了这种“知难欲退”“叹观止焉”的时候，如果不继续向前，力求突进，那学习将永远不会有更高的成就，不甘划地自限的人们，一定要努力克服这个境界才行。

这个使人感觉困难的境界，在心理学上便叫做“学习的高原”（Learning Plateau）。

学习为什么会有高原出现呢，其原因不外乎：

第一，新的事物总是新奇的，但经过相当时间以后，新奇的感觉遂不免渐渐的消失了。

第二，最初的学习总是注意很集中的，但时间一久，注意也不免降低。

第三，学习的材料或内容大都是愈来愈难的，因为困难，于是兴趣减低，进步不易。

第四，有些人愿望不大，自不免会“浅尝辄止”“安于故常”。

第五，纵然此时有些进步，但亦不如最初学习时进步之大，所以不大感觉到。

第六，学习者如果在学习过程中养成了一种不良的方法、习惯，也足以促使这种现象发生。

第七，学习者身心上的异状，如身体有病，心情不好，也是一个重要原因。

第八，低级习惯的牢固亦有关系，如朗读对于读书效能的干涉，写仿影对于书写速度的妨碍皆是。

以上各种原因，有的是主要的，也有的是次要的，但无论如何，它都会使学习者突然感到近于失望的心情，徘徊不前，我们如果能于此时设法克服困难，继续奋进，则学习便可由此达上一个新的较高的阶段，如此不已，学习的进行乃日益高级化深刻化，本来是“山穷水尽疑无路”的，到此才觉得是“柳暗花明又一村”。如果你不战胜困难，继续前进，那学习便只有停止在低级的阶段上，甚至发生退步的现象。古人说：“为山九仞，功亏一篑。”又说：“学如逆水行舟，不进则退。”这些话都是很有道理的。

朋友，你要学习成功吗？你要学习无止境的进步吗？那么请记住“越过高原前进”！

不过，也有许多学习其进步率不是无限的，这大半是关于生理方面的作业，比如跑步，每秒钟所能跑的距离是有极限的；又如打字，每秒钟所能打的字数也有一个最高限度。这些受有“生理限度”控制的作业，当然比较起来，高原亦是有限的。

古人告诉我们：“欲穷千里目，更上一层楼。”好学的朋友，请你不断的多爬几重山，多上几层楼吧！

二五　促进学习效能的条件

古代的人，往往注重苦学的精神，像“扑作教刑”“悬梁刺股”等等，这所谓“困以求知”，当然是很值得钦佩的。不过，要学习的效能增高，也不一定全用这等办法。学习成功的条件很多，如能满足这些条件，则学习的进行也不一定完全是苦事情。比如，身体弄得很健康，学习就比较起劲；兴趣引发得相当充分，也自然会锲而不舍。“困而学之”，不过是劝人多多刻苦自励而已。

促进学习效能的条件很多，重要的有以下各项：

一、环境的状况

（1）温度：最好在华氏表六十八度左右。

（2）湿度：以百分之五十的湿度为最好，过潮过燥均不相宜，冬天如在室内生火，最好上面放一壶水。

（3）光线：第一，光线要充足，太强太弱均不好。第二，光线要稳定，不要摇晃。第三，光线最好从左面来，尤其是看书写字，光线不宜直射。

（4）空气：宜流通。

（5）其他如桌椅要适宜，没有声音的扰乱等是。

二、身体的情形

（1）年龄：年龄的大小对学习的影响并不是绝对的，如果调养适宜，尽管年龄大些，也一样的可以学习，不过一般的情形是以十五岁到三十五岁这一个期间更为好些。

（2）营养：营养的良好与否，直接影响身心健康，所以最低限度的营养必须讲求，其次，饮食也必须有定时定量，狂饮暴食亦是不好的。

（3）休息与睡眠：身体不像机械可以无休止的使用，如果使用过度了，就会出毛病，所以休息与睡眠很要紧。身心使用到相当程度时，就会发生疲劳，这是一个报告需要休息的信号。休息的方法很多，比如散步、有益的消遣、谈天等等。睡眠则是一种较大的休息，睡眠的时间各人不同，普通青年或成年人，最多八九小时便够了，睡眠不足和贪睡都是不好的。

（4）缺陷与疾病：有许多生理上的毛病，足以妨害学习，应该注意防止与治疗。如：（a）眼病，像近视、远视、沙眼等。（b）牙病，牙病有四种不良的影响：第一是食物不能细嚼，第二是患处容易潜藏细菌，第三是足以引起其他疾病，如肠病及贫血等，第四是牙痛足以减低注意力，所以必须及早防止。（c）其他，如扁挑腺炎、鼻疣等。

（5）卫生与运动：平时多多注意卫生，以免罹患疾病。尤应多做户外游戏和运动，以调剂身心。

三、心理的要素

（1）智慧：智慧高的人，学习较快较多，应该善为利用。智慧较差的人，也不必灰心，只要努力，也可获得补救，龟兔竞走的故事是一个很好的启发。

（2）情绪：在情绪过分焦躁或恐惧或愤怒的时候，不宜开始学习，尤不宜用脑的学习，应该设法使情绪平稳后再行开始。

（3）心境：第一要心理上有准备，所以要抓学习的兴趣。第二要专心，不要“一心以为鸿鹄将至”。第三要说做就做，开始要快。第四要时时寻求足以加强学习的动机。

（4）竞争：要多和别人比较，要知道自己的进步，要有确定的学习目标，要难易适合自己的程度，如此可以多多激发自己的竞胜心，以求更大的进步。

四、教育的情境

（1）学习的工具：工欲善其事，必先利其器，学习时应该准备的东西，如铅笔、橡皮、墨水、纸张、本子、字典等等，务要准备妥当，并放在一定的地方，免得临事张皇。

（2）学习的材料：学习的材料应合于自己的程度。材料的内容应先有大概的了解，先抓住其要处，然后仔细逐项研究。

（3）学习的次数：应采取分布学习的办法，勿贪多，勿间断。比如学习英文，如果每周只读两天，不如把两天的时间平均分配到七天内来学的好。

（4）学习的同伴：要有良师益友作为学习的同伴，否则独学无友，就不免“孤陋而寡闻”。

五、学习的习惯

（1）养成在一定地方学习的习惯。

（2）养成在一定时间内学习的习惯。

（3）每日学习的时间应有适宜的分配。

（4）要有学习的目标和学习的计划。

（5）学习与休息应有适当的配置。

（6）在剧烈的工作或运动之后，不宜立即开始学习。

（7）学习不应半途而废，最好在告一段落时才停止。

（8）以个别学习为主，以集体学习为辅。

（9）所学习的理论应该经过思索与消化，最好能实地应用。

（10）阅读的速度与方法应视读物的性质而定。

（11）对于自己的知识上或技能欠缺之点，应早些设法补救。

（12）不怕困难。

（13）有怀疑的态度。

（14）须会善用各种参考书报。

以上几种条件，如能做到，再加上苦学的精神，那学习没有不成功的。

二六 怎样记忆

记忆究竟是什么一回事，虽然我们还不能说得清楚，但它在动物尤其是人类生活的重要性，实在太大了。如果我们不能记忆，那不但无从进行学习或工作，而且整个的人格必趋于破裂，神经衰弱，歇斯得里等患者之所以痛苦无告，记忆力的衰退，确是一个很大的原因。

许多成年人常说："唉！唉！我的记性不行了。"其实这话是不对的，儿童时代之所以记忆力似乎较优的样子，大都由于他的生活单纯和身体正在蓬勃发育的关系。如果一个成人，身心是正常的，而他也感到记忆力不好，那主要的原因不外是事情太多，生活复杂，这是无可如何的。要想记忆的好，那只有注意改善记忆的方法了。

第一，练习次数的多寡是记忆的一个重要条件。练习次数多，记忆会好；反之，当然不好。古人说“学如逆水行舟，不进则退”，这是实话。孔子也告诉过我们：因为“学而时习之”，所以才感到“不亦说乎”。

第二，刺激本身的强弱也是足以决定记忆的好坏的。我们常常感激一个人说“没齿难忘”，这便是刺激太强的原故。所以如果要对于某种事物的记忆牢固，加强那事物本身的强度，也是办法。孟子说：“一齐人傅之，众楚人咻之，虽日挞而求其齐也，不可得矣。”这是值得参证的好例。

第三，注意也是记忆重要条件。古人说：“心不在焉，视而不见，听而不闻，食而不知其味。”一方面像是在专心学习，一方面却一心以为鸿鹄将至，那里会记得住呢？

第四，兴趣与记忆的关系也极密切。埋头努力，固很必要，但如能时时注意兴趣的增加，那记忆起来也比较容易。所以准备考试，不一定闭目死记，利用图表、与人问答、试行测验等等，都是增加兴趣的方法。

第五，学习方法的良好与否，也是可以影响记忆的。比如：

（1）从学习的时间说：分布学习比集中学习好，如果每星期学习一天的英文，不如把一天的时间分配在三天或六天之内学习得好。

（2）从学习的材料说：第一，不要太难或太易。第二，要透彻的了解。第三，要抓住要点。第四，要有系统。第五，不要贪多。

（3）从学习的技术说：可以多多利用联想，联想的方法没有一定，这全靠各人善于利用。

（4）尤其要注意的是：对于还不十分了解或还未学习成熟的东西，不要记忆。记忆错了，以后再来改正，是一个很大的浪费。学外国语的大都有过这一类的痛苦经验。

此外，也有些因素是较难改善的，如智力低的人，记忆不免较差。在这种情形之下，记忆的方法更显得重要。现在自来水笔和怀中记事册之成为人人必备的物品，也正表示：记忆实在是人们生活中一个非常重要的问题。

二七　谈疲劳

人不能像机器一般，永不停息的工作着（当然机器转动久了也须加油），当一个人继续从事一件工作或学习至一定时期后，往往在主观上发生一种不愉快的感觉，在客观上发生工作效率降低的现象，这时我们便名之曰“疲劳”。

疲劳，不只会由生理的劳作而引起，它也可以由精神的劳作而引起，比如球类比赛以后，全身都觉得疲倦，练习写字达一两小时之后，便觉手腕发酸，这是属于生理的疲劳。心理的疲劳大都是由于用脑较久之故，比如看书、思考问题、读外国语等等，此外感情的状态，也是唤起疲劳的原因，比如忧虑、不安、惧怕、愤怒、神经衰弱、歇斯得里等，都可使一个无所事事的人，显露出非常懒倦的样子。

因为引起疲劳的事实不同，所以疲劳的原因也不同，大概生理的疲劳完全是生理的作用，第一是脏粉的供给减少，第二是乳酸在血肉中的积聚，其中尤以后者与疲劳有直接关系。因为乳酸有抑制筋肉活动的作用。假如我们把已疲劳的筋肉的乳酸抽取出来，再注射到一个鲜健的动物的血液里去，那动物的筋肉就也表示疲劳的现象。所以当脏粉还没有显著的减少以前，仅仅因为乳酸的增多就可以有疲劳的表现。有人试验的结果，表示一分钟的剧烈运动就可以使每一百立方厘的血液中的乳酸从二十九毪（Milligrams）增加到一百零四毪，这种乳酸的迅速增加，可以影响到身体其他部分的筋肉而使之也起疲劳。所以一部分之筋肉的工作不但不引起局部之疲劳，并且引起一般的疲劳。

但乳酸对于筋肉的影响，在开始的时候，是足以增进筋肉的收缩的能力的，后来才有抑制的影响。这大致是由于分量上的关系。筋肉的工作效能在起初很短的时间内，可以有显著的增加，其中一个原因也许就是由于乳酸对于筋肉的刺激作用。

疲劳显著以后，则须休息。休息的作用就是在使筋肉中和血液中所积聚的乳酸因氧化而移去，并且使所消耗的脏粉得以补充。乳酸的氧化所需氧气的供给是取之不尽的，筋肉所消耗的脏粉，假如分量不多，也可以很快的由肝脏补充。但假如疲劳的程度很深，致肝脏所蓄储的脏粉也用去了很多，那就非有长久的休息和新的食物供给不可了。新的食物的供给，还须经过种种的消化和吸收的过程，不是像乳酸的由氧化而移去那样容易做到的。

至于精神的疲劳，有的亦是属于生理的，如读书思考等等，而有的则完全是心理的，比如忧愁、冲突、不安等等。

各人疲劳的程度与状况也是因人而异的，比如不健康者容易疲劳，情绪不稳者容易疲劳，太难的工作容易疲劳，无兴趣的工作容易疲劳等等。生理的疲劳是容易治疗的，只要给以充分的休息便行。而精神的疲劳往往不但休息治不好，有时甚至越休息越觉得疲劳，因为不单是生理治疗可以奏效的。

休息之最好方法是睡眠，但睡眠的时间不在乎长短，而在乎是否酣睡，平常我们说睡眠八小时，其实酣睡的时间绝没有八小时，睡眠时间的长短，各人的差异亦是很大的，平常人说成人八小时、青年九小时、儿童十小时以上，这也只是大概的说法而已。

适宜的环境也是调节疲劳的一个方法，比如空气、光线、温度、湿度都很适宜，自然可以使疲劳的感觉减少。

不过如果主观上有坚决的意志及浓厚的兴趣，也大可以克制疲劳使它发生较迟，在比赛的时候，在竞技的时候，我们可以充分的看出来。世间有理想的人，往往精力也比较活跃，亦正是同样的道理。

工作的方法良好与否，与疲劳亦有关系，比如学习材料的分配、学习次数的分配、学习作业的分配、学习方法的变化、休息时间的支配等等皆是。学校的课表如果编制得宜，是可以大大的减低学生的疲劳的。

至于精神的疲劳，则多靠心理方面的改善，这是心理卫生上的问题，不是一句话可以说完的。简而言之，正确的人生观，理智的感情，平衡的态度等等，都是治疗精神疲劳的良好的药品。

疲劳的恢复固很重要，但世人常常过分爱惜自己，不肯适当的运用自己，以致养成怠惰的习惯，殊为可惜！一个人使用他的精力在正常的限度以下，那他少使用多少，就吃亏多少，在人生的战场里就要少去这么多的利益。普通的人，习惯上总是只使用到他所有的力量的一小部分，就借了疲劳这理由而不再努力，为人类的前途说，不能不算是一笔损失。

二八　论烟酒茶

吸烟、喝酒、品茶，成了一般人的消遣的方法，工作之余，吸支烟、喝盅酒，或者饮一杯香茶，既可助兴又可提神，像是好处甚多的样子，社会上也曾有人提倡过戒烟戒酒，但成效似乎不大显著，这究竟是什么道理呢？这里愿意把关于这个问题的意见介绍一些出来。

首先谈谈烟，这所谓烟是单指烟叶或香烟而言，烟的主要成分是尼古丁，尼古丁是一种很毒的物质，如果吸烟时完全把尼古丁吸进去，当然对生理上的影响很大，不过我们在吸烟的时候，烟叶经过燃烧，其中所含的尼古丁，大都是分解而成为柏那丁（Pyridine）和其他的物质，柏那丁也有相当的毒性，但只有尼古丁的二十分之一，显然它仍旧是对于生理有害的，不过究竟有害到什么程度呢？

科学界对于这个问题还不能有一致的答案，有的以为烟的毒害是非常严重的，据说，女子吸烟是足以妨害生育的，因为烟毒能损害生殖腺及其器官，吸烟的女子往往会发生衰退的征象，这仅是就生理而言。如果从心理方面说，据美国青年法庭的法官宣称：青年犯人中有百分之九十三至百分之九十八是吸烟的。这样说来，似乎非常严重。但据有些心理学家研究，又好像并不如此，据罗白特（Lambard）的实验：吸了一支中等强烈的雪茄烟，可以使筋肉的力量减少、效能降低，但此种影响在吸烟停止后不久便消失，在一两个钟头以后即完全恢复。赫尔（Hull）的实验使被试者在吃饭以后一点半钟吸一种不很强烈的烟共二十五分钟，然后做各种不同的测验，实验的结果也找不出一个一致的趋向。其他的实验不很多，也都不能获得一个确定的结论，我们只能说烟对于生理上确乎没有多少好处，但如果为了宣传戒烟，当然可以说它有如何如何的害处，但在科学上却不能如此随便断定。

其次是酒，喜欢喝酒的人都说喝酒足以促进工作效能，“李白斗酒诗百篇”，好像是一个很好的例证，但据实验的结果，酒对身心影响之有无或大小，重要的是看酒中所含酒精的分量的多寡，其次是看喝的分量的多寡，再次个别差异也很显著。但无论如何，大多数实验的结果都指明：如果酒对人体发生影响的话，其影响都是属于有害的一方面，而且其受害的程度往往随着分量的增加而增加。

高达德（Goddard）更找出低能的儿童出于饮酒的家庭者比出于不饮酒的家庭者为多，有时高出百分之三十五，不过因为饮酒才产生低能的儿童呢？还是低能者的父母正因为低能才饮酒呢？还不能说定。

说酒对人有好的影响的试验结果也有，不过证据非常薄弱，不足引述。

至于茶的主要成分为茶精（Caffeine），茶精对于身心效能的影响大多是刺激的，不过过量了，效能反见降低，比较起来它与烟酒不同的地方是没有副影响产生，即除了一时刺激的效果以外，后来不会发生任何不良的影响，但亦以少饮为宜，多了亦是不好的。

以上是烟、酒、茶对于一些身心效能的说明，这些东西对于人的害处，虽然不能完全确定，但实在亦没有好处可说，这无论从经济上或身体上看，都是一样。不过世界上的人常常不能把这些嗜好戒掉，这又是什么原因呢？我们想：第一，是习惯的关系，习惯是一种定型的行为，它可以支配以后的行为，一个人既已吸烟成了习性以后，忽然要他不吸，自然他的工作效能会受到不好的影响，但和烟的本身实在并无关系。第二，一种习惯常常是可以被多种刺激引起的，这就是所谓“交替反应”，比如闲暇与吸烟、上毛厕与吸烟、谈天与吸烟、生气与吸烟，都可以交替起来，交替成功以后，遇到其中任何一种场合或刺激，就会发生一种吸烟的念头。据说有一个人立志要把烟戒掉，已经戒得差不多了，但忽然一天，不知为什么和太太发生了口角，于是又把他戒了许久的吸烟习惯呼唤回来，因为他以前凡是和太太生气的时候，就要吸烟，好像只有如此才可以把气消掉。总之，烟酒之难戒，并不全系于烟酒本身的有益或无益，实是各种交替成功的习惯在作祟，俗语说“解铃还是系铃人”，真想戒烟或戒酒的朋友，还是要设法用新的习惯来代替才行。

三联经典文库第二辑简目

《游击战教程》　明凡 / 著

《游击战术纲要》　陶剑青 / 编著

《汪精卫卖国的理论与实践》　钱俊瑞 / 著

《抗战以来》　韬奋 / 著

《陕行纪实》　楚云 / 著

《随军散记》　沙汀 / 著

《被日寇囚系半载记》　王研石 / 著

《倭营历险记》　房沧浪 / 著

《活跃的新西北》　田影 / 编著

《保卫华北的游击战》　刘清扬　陈北鸥等 / 著

《徐州突围》　《徐州突围》编委会 / 编

《沦亡的平津》　长江　小方等 / 著

《淞沪火线上》　胡兰畦等 / 著

《瞻回东战场》　长江　罗平 / 著

《东线的撤退》　胡兰畦等 / 著

《抗战中的西北》　徐盈 / 著

《鲁闽风云》　徐盈等 / 著

《西线生活》　西北战地服务团集体创作

《中国解放区见闻》　[美] 福尔曼著 / 朱进译

《全面抗战论》　潘汉年 / 著

《日本的间谍》　范士白自述 / 尊闻译

《日本大陆政策的真面目》　国难资料编辑社 / 编

《民众动员论》　李公朴 / 著

《中国外交史》　钱亦石 / 编著

《太平洋军事地理》　蒋震华 / 著

《世界经济地理讲话》　思慕 / 著

《列强军力论》　[德] 马克斯·威纳尔著 / 宾符　仲持　梅益等译

《近代国际关系史》　张铁生 / 著

《太平洋现势手册》　沈志远　石啸冲 / 编著

《近代世界政治史》　钱亦石 / 著

《从战争到和平——一九四五年的世界政治》　乔木 / 著

《战后日本问题》　思慕 / 著

《最近一年间的国际动态（1946.7–1947.6）》　《东北日报》社 / 编

《论政党》　翟放 / 著

《法与宪法》　韩幽桐 / 编著

《中华民国宪法刍议》　罗家衡 / 著

《民主·宪法·人权——作之民》　费孝通 / 著

《宪法论初步》　潘念之 / 著

《对反民主的抗争》　韬奋 / 著

《农村改进的理论与实际》　江恒源 / 著

《上海产业与上海职工》（上下）　　朱邦兴　胡林阁　徐声 / 合编

《陶行知教育论文选辑》　　陶行知著 / 方与严编

《中国通货膨胀论》　　杨培新 / 著

《中国及其未完成的革命》　　H·普拉特著 / 蒋天佐译

《中国的建设问题与人的训练》　　卢作孚 / 著

《论中国特殊性及其他》　　艾思奇 / 著

《中国经济问题讲话》　　钱俊瑞　徐雪寒　王渔邨　姜君辰　骆耕漠 / 合著

《中国经济的道路》　　许涤新 / 著

《中国财政之病态及其批判》　　孙怀仁 / 著

《官僚资本论》　　许涤新 / 著

《五四运动之史的评价》　　陈端志 / 著

《中国通史简编》（上下）　　中国历史研究会　范文澜 / 主编

《论文学的工农兵方向——读〈在延安文艺座谈会上的讲话〉》　雪苇 / 著

《中国近代史（上编　第一分册）》　　武波 / 编著

《文学百题》　　傅东华 / 编

《中国史学之进化》　　周谷城 / 著

《论民族形式问题》　　胡风 / 著

《论批评》　　荃麟等 / 著

《中国史纲》（第一卷上下、第二卷上下）　　翦伯赞 / 著

《近代中国思想学说史》（1–4）　　侯外庐 / 著

《中国政治思想史》（上下）　吕振羽 / 著

《中国哲学史纲要》　向林冰 / 著

《中国政治史讲话》　钱亦石 / 著

《中国社会经济史纲》　王渔邨 / 著

《新财政学大纲》　千家驹 / 著

《太平天国革命运动论文集——金田起义百周年纪念》

华北大学历史研究室 / 编

《理性与自由——文化思想批评论文集》　胡绳 / 著

《战斗者的诗人》　黄药眠 / 著

《国语文法》　曹朴 / 著

《教育哲学》　张栗原 / 著

《妇女问题讲话》　杜君慧 / 著

《婚姻 · 子女 · 继承》　沙千里 / 著

《性教育新论》　布士克　雅各生合著 / 董秋斯译

《狱中杂感》　杜重远 / 著

《七人之狱》　沙千里 / 著

《爱迪生传》　伍况甫 / 译

《歌德自传》（上下）　歌德著 / 思慕译

《尼赫鲁自传》　［印度］尼赫鲁著 / 毕来译

《列宁传》　［苏］凯尔任采夫著 / 企程　朔望译

《罗斯福总统传》　C. Mackenzie 著 / 张尚之译

《托尔斯泰传》（1–3）　［英］阿尔麦 · 莫德著 / 徐迟译

《革命文豪高尔基》　［美］亚历山大·康恩著 / 韬奋编译

《鲁迅纪念特辑》　新中国文艺社 / 编

《回忆鲁迅先生》　萧红 / 著

《人民文豪鲁迅》　平心 / 著

《亡友鲁迅印象记》　许寿裳 / 著

《鲁迅思想研究》　何干之 / 著

《鲁迅研究》　夏征农 / 编

《过来的时代：鲁迅论及其他》　雪峰 / 著

《电影戏剧表演术》　洪深 / 著

《日常心理漫谈》　［美］约瑟夫·查斯特罗著 / 曾宝菡译

《心理常识漫话》　朱智贤　杨云美 / 著

《读书的方法与经验》　王任叔 / 著

《美国黑人生活纪实》　［美］加德维尔　斯坦倍克著 / 董秋斯译

《初访美国》　费孝通 / 著

《事业与成功》　［美］马尔腾著 / 汪原放译

《萍踪寄语（初集）》　韬奋 / 著

《一生的幸福前途——〈生活周刊〉信箱选集》　生活书店 / 编选

《深刻的印象》　生活周刊社 / 编

《海外的感受》　生活书店编译所 / 编

ISBN 978-7-108-04765-6
9 787108 047656 >
定价：23.00元